霍桑探案

程小青作品

霍桑探案

程小青 著

DETECTIVE
HUO SANG

恐 怖 的 活剧

1

海南出版社
·海口·

图书在版编目（CIP）数据

霍桑探案. 1，恐怖的活剧 / 程小青著. -- 海口：
海南出版社，2025. 1. -- ISBN 978-7-5730-2062-8

Ⅰ. I247.7

中国国家版本馆 CIP 数据核字第 20247KF773 号

霍桑探案 1　恐怖的活剧

HUO SANG TAN'AN 1　KONGBU DE HUOJU

作　　　者：程小青
策 划 人：彭明哲
责任编辑：高婷婷
插　　画：杨冬梅
封面设计：张　军
责任印制：郄亚喃
印刷装订：河北盛世彩捷印刷有限公司
读者服务：张西贝佳
出版发行：海南出版社
总社地址：海口市金盘开发区建设三横路 2 号
邮　　编：570216
北京地址：北京市朝阳区黄厂路 3 号院 7 号楼 101 室
电　　话：0898-66812392　010-87336670
电子邮箱：hnbook@263.net
经　　销：全国新华书店
版　　次：2025 年 1 月第 1 版
印　　次：2025 年 1 月第 1 次印刷
开　　本：880 mm × 1 230 mm　1/32
印　　张：9.625
字　　数：217 千字
书　　号：ISBN 978-7-5730-2062-8
定　　价：46.00 元

序 一

考察中国侦探小说发展史，有些名字是无法回避、也是断然绕不过去的，例如程小青。

20世纪初，侦探小说在欧美大热，东方的中国和日本都为之感染，引发翻译和创作热潮。在随后的一个多世纪里，这种源于西方的文学样式在中华大地落地生根，日新月盛，也曾升腾跌宕，几经沉浮，也曾波澜壮阔，一时风靡。为使星火燎原，不少有识之士，奔走"鼓""呼"，前赴后继，这期间，公认用力最健者，当数程小青先生。

很多评论家愿意称程小青为"中国现代侦探小说第一人""东方的柯南·道尔"，这也并非过誉之词。以他几乎竭毕生之力在侦探小说领域所做的耕耘，所付出的努力，确也配得上这种赞誉。

他是翻译家，但并未止于翻译。

清末民初，译介流行，学徒出身、未出国门半步的程小青能跻身"饱灌了东西洋墨水的"学界翘楚们热衷的翻译队伍，靠的是自身努力，也不乏机遇的成分。他是1916年中华书局版《福尔摩斯探案全集》、1925年大东书局版《亚森罗苹案全集》和1926年世界书局版《福尔摩斯探案大全集》的译者之一。这三套"全集"的译介在当时可谓举足轻重，"形成了最具典范意义的翻译范本，同时也深刻影响了后来民国侦探小说本土创作的基本路径"。

三大"全集"译本的权威性和由翻译而创作赢得的鹊起名声，为程小青后来的译介活动获取了一定的话语空间，使他得以有机会从出版的幕后走向前台，主导或推动了一批优秀侦探小说作家的作品被译介入中国，例如埃勒里·奎因（Ellery Queen）、奥斯汀·弗里曼（Austin Freeman）、莱斯利·查特里斯（Leslie Charteris）、厄·比格斯（Earl Biggers）、阿加莎·克里斯蒂（Agatha Christie）等。这些译介活动，不仅繁荣了当时的文化市场，对后世也影响深远、意义非凡。

他是作家，但并未止于创作。

一般认为，程小青于1916、1917年间以《灯光人影》在《新闻报》副刊《快活林》征文中崭露头角，以1919年连载于《先施乐园日报》的《江南燕》暴得大名，从此一发不可收，通过《小说大观》《小说月报》《申报》《侦探世界》《红玫瑰》等数十种报纸、杂志，开启了长达几十年的侦探小说创作生涯。到世界书局版《霍桑探案全集袖珍丛刊》于1946年出齐时，已辑录他创作的以大侦探霍桑为主角的侦探小说74篇，280万字（这还并非全部，比如《百宝箱》《缥缈峰下》等"霍桑探案"系列小说就未曾收入）。作品数量之多，创作时间之长，覆盖刊物范围之广，在民国侦探小说作家中一时无两。

作为作家，程小青无疑是极成功的。他的作品被多方刊载，不断翻印，风靡市场几十年，不少作品还被搬上银幕，真正做到了街谈巷议，妇孺皆知。

但程小青并未因此驻足于文学创作，他与当时怀有家国情怀的众多知识分子一样，力促科学兴国，并且将创作的侦探小说视为"开启民智"与"拯救民族"的手段之一。"侦探小说是别开蹊径的文学样式，是化了妆的科学教科书。"试图通过提倡侦探小说，改善中国人智性缺失的现状。他半辈子都在做侦探小说的评论建设与理论宣导工作，呼吁"对于含有科学意味的侦探小说，在现代的我国，总也可以同意有普遍提倡的必要"。并经年累月在报纸杂志上介绍创作经验、创作之法，甚至刊发广告，开办创作培训班，以壮大侦探小说写作队伍。这已远超作家的工作范畴。他的执着努力，对侦探小说社会影响力的提升，对推动侦探小说在阅读、创作方面的广泛普及，都卓有贡献。

他是具有国际化视野的编辑，是侦探小说本土化坚定的推动者、践行者、守护者。

在译者、作者身份之外，程小青还拥有一个杂志编辑甚至主编的身份。1923年，已在翻译和创作领域初露锋芒的程小青参与到民国时期第一本侦探小说杂志《侦探世界》创办中（也就在那一年，日本《新青年》杂志发表了江户川乱步的《两分铜币》，开启了日本侦探小说创作的新纪元）。这份杂志似乎在商业上并不算成功，只出版了24期，存活了一年就夭折了，但却在中国高举起侦探小说本土化的大旗，让程小青、陆澹安、孙了红等一干本土侦探小说作家得以通过这份杂志延续或开启他们的文学创作之路。《侦探世界》办刊宗旨和内容设置颇类似英国的《海滨杂志》，作为从始至终的编辑，对福尔摩斯研究最为通彻的程小青应该在其中起了不小作用。1946年，程小青作为版权页唯一署名编辑倡办《新侦探》杂志，踌躇满志地向国人绍介"后福尔摩斯时代"的作家作品，这份杂志也只出刊17期，但因他力促，一些正当红的作家，特别是

"黄金时代"的代表作家诸如埃勒里·奎因、阿加莎·克里斯蒂等被陆续译介入国内，有的作品甚至在西方甫一问世，即能被翻译刊载，这在信息极通便的当下，也很难做到。在1949年，他还出任了四期《红皮书》杂志的编辑顾问。

程小青担纲编辑、主编甚至顾问的侦探杂志不下数种，由于当时各种环境、条件的限制，我们不便置评杂志的经营策略是否得当，但有一点是毋庸置疑的，那就是程小青在主持杂志编辑工作时所拥有的国际化视野和对侦探小说本土化的倡导、推行，对侦探小说的发展是起到了极大积极作用的。

无论从哪个角度讲，程小青都与侦探小说交横绸缪，密不可分。他的贡献是多层面、全方位的，郑逸梅称之"毕生精力，尽瘁于此，也就成为侦探小说的巨擘"。当然，他最为人所知，也是他最引以为傲的，依然是他写作、修改、增删、润色几乎贯穿其大半生的《霍桑探案》。

侦探小说，最重悬疑，忌讳在阅读前说三道四，一旦不慎泄底，就会削弱阅读的情趣。虽然霍桑探案系列已成经典，多次累印，光号称全集的版本就不下十几种之多，不少故事早为侦探迷所耳熟能详，但为照顾初览此书的读者，还是尽力规避点评内容，只谈几点时至今日《霍桑探案》依然值得广泛阅读的个人看法：

一是文本价值。《霍桑探案》是中国现代侦探小说的开宗之作。程小青准确地把握了侦探小说的文体特色，较好地完成了与本土资源的对接，走的是文学化的正宗路径，开创了中国侦探小说的创作模式。

二是文学价值。程小青通过"离奇曲折的布局，引人入胜的情节，还有严密的逻辑推理"编织了一个个荡气回肠、精彩纷呈的探案故事。他笔下的平民侦探霍桑及同伴包朗，与福尔摩斯、菲利普·马洛、波洛和马普尔小姐等侦探形象一样，虽经时代变迁，虽经岁月磨砺，依然为广大中国读者所喜爱、所击赏、所津津乐道，足见其文学的光彩与魅力。

三是社会价值。《霍桑探案》写作于中国社会从传统到现代的历史转型期，社会结构、家庭关系、伦理道德、财产观念、性别意识、科技水平等方方面面的变化都在小说中得到体现。程小青刻意通过私家侦探破案来着力反映旧中国的政治、经济、文化等种种社会问题。他把社会批判、人文理想、爱国主义情怀弥散在小说的各个角落。如果将整套"霍桑探案"小说连起来看，那就是一幅"民国时期上海市民生活的一幅活灵活现的浮世绘"。

海南出版社这套《霍桑探案》穿插了早期原作风格的黑白插图，保留了原创作品原汁原味的语言风格，对于还原时代极有价值，也应该被视为看点之一。

忝为序。

谢刚

午夜文库主持人

序 二 *

心香一瓣

　　一个正直而勤恳的作家，当他将要走完自己的创作之路时，总有一个心愿：希望自己的劳动成果、自己的作品能够为后世所知，能够部分地留传下去。因为创作的目的本来也就是为别人，为后世。

　　记得是 1957 年的春天，我和程小青先生一起到连云港去参观、旅游。那时候程先生是六十四岁，我是二十九岁，我把他当作父辈，上车下车，登山傍水，都要照顾着他点儿。可他的游兴比我高，爬险坡，下矿井，无处不去。我爬高山时往往只爬一半，便坐在大青石上休息，并且劝程先生也不要爬，太累。程先生却喘着气从我的身旁走过："你不去下次还可以再来，我不去以后就没有机会。"我听了程先生的话便一跃而起，陪着他爬上山巅。在山巅瞭望着大海时，程先生对我倾吐了他的心愿："我的时间已经不多了，也不能再写更多的东西，唯一的希望就是能把以前的作品整理一下，重印

＊　原刊于《霍桑探案集》，群众出版社，1997 年 7 月出版。

一次。"我知道程先生所说的作品是指他毕生经营的《霍桑探案》，这套书我小时候曾经读过一部分。我觉得侦探小说对培养人们的正义感、逻辑力，启迪智慧，养成坚韧的性格等等都是有作用的。当时便自告奋勇，不自量力，要为程先生争取一个再版的机会。

机会来了，出版社邀请作家们开座谈会，征求对出版工作的意见。我在会上便大声疾呼，要为程小青先生出一套选集，从意义一直讲到封面设计，以及如何发新书预告等等的细节。当时，大家听了都很感兴趣，而且认为销售个三五十万册没有问题。想不到紧跟着就是"反右派"，书没有出得成，我却成了"反党集团分子"，要为程先生出书也成了我的罪状之一。

当然，我之所以倒霉并不是因为要为程先生出书，要提到这件事不过是为了凑材料而已。程小青先生是个正直而善良的人，他与人交往无所企求，毫不势利，而且以能够帮助别人当作自己的快慰，对于文艺界的后辈更是关怀备至，致及饮食与冷热。当我发表了一点儿作品，受到一些称赞时，他便十分高兴，写一首诗给我，而且亲自拿着诗爬到我的小楼上来。我住的小楼只有朝西朝北的窗户，夏天热不可当，汗水把稿纸湿透。程先生还教我一种防暑降温的方法，教我在清晨时用棉花胎把窗子遮起来，再吊几桶井水放在房间，开着灯写东西。1957 年之后我倒了霉，被下放到苏州的一家工厂里当学徒。那时候，犯了"错误"的人都觉得无颜见江东父老，江东某些父老见了我也有些尴尬似的。程先生却不然，他骑着自行车从大街上走过，见了我不是点头而过，而是老远便跳下车来，站在马路边上谈半天，询问我劳动与生活的情况。他知道我的工资被降了两级，所以一再问我缺不缺钱。有一次，他竟为此事爬到我的小楼上来，认真地对我说："你到底要不要钱？我有钱，随时随地都可以来拿，还不还都可以。"我总是回答说："不需要，活得下去。"只是有一次我们在一起开会，闲聊，谈到我在工厂里劳动最怕的就是迟到，做夜班和中班时都是提心吊胆，深怕睡过头。程先生说："你为什么不买只闹钟呢？"我随口回答了一句："没有钱。"程先生随即掏出钱来："拿去，买一只带回去。"过了几个月，当我把买表钱还给他时，他却说根本没有这回事，说我从来没有向他借过钱。幸亏有周瘦鹃先生在旁边作证，他才勉强地把钱收回去。这只双铃马蹄表陪伴着我度过了许多艰难的岁月，也联系着我与程先生之间的老少情谊，不管文艺界是如何一时风起，一时浪歇，我们之间都保持着联系。他经常爬到我的小楼上来，我也经常到他的书斋里去。春秋之日他家的花儿开了，我便带着女儿到他家看花儿去。程师母最欢喜孩子，去了以后总是把许多糖果塞在孩子的衣兜里，临走时还要采几枝大理菊，让孩子捧着带回去。我欢喜坐在程先生的书斋里，听他谈侦探小说的理论，以及他生活与创作的经历。我觉得他是个人道主义者，总是用一种善良的目光来打量这个世界，对人诚恳而宽厚，富于同情心。我尊重他的为人，尊重他的作品，总觉得他的旧作没有再版的机会有点儿说不过去。

文艺是个百花园，每一种花都应当有开放的权利，不必去厚此薄彼。我们常常讲文学的主流，却常常忘记不是每个读者都饮长江水，而那长江也是由许多大河汇合而成的。程先生是中国侦探小说的鼻祖，他的作品是应该得到尊重，得到承认的。到了1963年，文艺界的形势有点好转了，我便向程先生建议，建议他把《霍桑探案》整理一下，做一些必要的文字修改，争取出版的机会。程先生说他也有此种想法，正在整理。

有一次我到他的书斋里去，确实也看到他在旧版书上修改，字小得像蚂蚁，比蝇头小楷还要小一点儿。

文艺界的风云又起了，1964年文艺整风，我又倒了霉，又下放到工厂里去劳动，紧跟着便是"文化大革命"。程先生也倒了霉，抄家、批斗。我们两个人不能来往了，只有一次在开明大戏院开上千人的批斗会，我和程先生被押上台上去，两个人匆匆地见了一面，不能交谈，因为有人监守在旁边。从此以后我全家被下放到黄海之滨去了，两人不通消息，他不知道我到哪里去了，我也不知道他的日子是怎样度过的。

忽忽过了八年，就在"四人帮"被粉碎的前夕，我因事回了一趟苏州，打听到程先生还住在望星桥堍，便去探望他。我觉得别处可以不去，程先生那里是非去不可的，他已是风烛残年，见一面是一面。

程先生的家住在望星桥堍沿河边，在一条非常狭窄的一人弄里，长长的弄子里只有他一户人家，大门就在弄子底。文艺界的朋友们常说，程先生的家像个写侦探小说的人住的，深邃而有点神秘。我走完了那条长着青苔的小弄，叩门，希望能像当年那样，来开门的是一位老保姆，或者是程师母。叩了半天，想不到来开门的却是程先生自己。我见了程先生十分吃惊，他已经老态龙钟了，耳朵也有点不便。他已经认不出我了，待我大声通报了姓名之后他才猛然想起，紧紧地拉着我的手，问长问短，询问江苏文艺界的一些老朋友都在哪里，恍如隔世似的。我打量着程先生的家，已经面目全非，他的书斋和小楼都被人占了，花草与盆栽都已不见，只有种在地上的迎春柳还是长得青青。当我正要向程师母请安时，抬起头来却看见程师母的遗像挂在墙壁上面，这位慈祥的老人已经逝世多日。

我为程先生担心了，觉得他经不起如此严重的打击。程师母的
一生都在精心地照料着程先生，对程先生的饮食起居照料得细
致入微，家里也是收拾得井井有条的。如今，程先生却被挤到
一个小房间里，房内空空，只有一张小床，还有一辆他所心爱
的来令牌自行车放在床边，车上落满了灰。程先生的书籍和手
稿都被抄光了，连那张写字台也不见了，只有一张小桌子放在
堂屋里。他订了几份报纸，整天在那里翻来覆去地看，并且把
几位能通讯的老朋友的地址抄在一张纸上，轮着写封信或写首
诗以消磨时日。我想起他的书，想起他要重印《霍桑探案》的
事，仿佛是一场幻梦似的。我不忍在他家久坐，谈了个把小时
便起身告辞。程先生要留我吃饭，可我们都同时抬起头来看着
程师母的遗像，如果她还健在的话，一切都已准备得好好的。

程先生把我送到大门口，说了一句十分伤心的话："文夫
兄，这是我们最后的一次见面了，你多保重。"我忍着眼泪匆匆
握别，从那条狭弄中走出去，走了一段回头看，见程先生还呆
呆地站在那里。程先生的话不幸而言中，就在我探望他之后不
到两个月，他便逝世了，没有能亲眼看到"四人帮"的粉碎。

粉碎"四人帮"后的这些年，我一直记着程先生当年与我
登高山而瞭望大海时倾吐的心愿，一直记着他呆呆地站在大门
口把我送别。我总觉得他对我有所嘱托，总觉得他的遗愿未能
实现，作为后辈于心有愧，所以一直在寻找机会为程先生出一
套选集。如今，这个愿望终于部分地实现了。程老，望你在九
泉之下安息。

陆文夫

1985.5.3 苏州

序　三[*]

作小说不是一件容易的事情，而作侦探小说更是难之又
难。必先要头脑清新，富于思想，遇事能推理，布局须奇妙，
方能受读者的欢迎，否则，一编读罢，便不免沉沉欲睡了。

西方的柯南·道尔所作的侦探小说《福尔摩斯集》，自从
移译以后，几于妇孺皆知，有口咸碑。为什么他的魔力如此大
呢？这因为柯氏所做的侦探小说，理想高妙，人家不易猜度得
到，结局虽出人意外，而前后线脉，分析明白，入情入理，自
令人拍案叫绝，况且他的科学思想，尤其丰富，声价之高，自
非幸致。

我国稗史中本来没有侦探小说，只有《龙图公案》《彭公
案》《施公案》等，上面载着许多无头案件，但都不是真正的
科学化的侦探小说，所以没有价值。老友程子小青好为稗官家
言，专治侦探小说，目光炯炯，平日言论俱能合乎论理，而
又富于思想，头脑清晰。他所著《霍桑探案》，传诵海内，有
"东方福尔摩斯"之称，十余年来，在侦探小说文坛中久执牛
耳。因为他的作品，积极方面，着重在提倡科学思想，维持正

＊　原刊于《霍桑探案外集》，上海大众书局印行，1932 年 7 月出版。

义，服务人群；消极方面，在破除颓废迷信等的旧习。至于结构的新颖，布局的缜密，更是余事。所以他的小说自有真正的价值，是和西方的柯南·道尔遥相辉映了。

前年他搜集他的大著，刊印《霍桑探案汇刊》专集，出版以后，纸贵洛阳。现又将出《霍桑探案外集》，三十余万言，洋洋巨著。拜读之余，令人钦佩得很。所以我不揣谫陋，拉杂地写了一些话，不敢说是序文，聊表我恭贺老友在文坛上胜利的微意。

顾明道

二十（1931），八，一一。

序 四[*]

侦探小说在文艺园中的领域，可说是别辟畦町的。它的重心，着重在想象、结构和实际的科学智识；它对于危疑的局势和一切角色，虽也注重描写，不过比较其他专以描写见长的小说，却是显然不同的。

我在拙作《霍桑探案汇刊》里曾说过，寻常小说大半诉诸读者的情感，侦探小说却除了情感以外，还含着引起好奇和唤醒理智的使命。人类固然是有情感和理智的动物，不过发展的方向，却往往会有偏畸。情感薄弱了，生活也许会流于机械和枯寂；理智晦蔽了，也不能免颓废迷信的危险。我们东方的民族，向来是以情感丰富著称的。因此，在理智方面的发展未见充分，而生活也就不得不流于畸形了。我们知道 20 世纪是科学的世界——无论物质机械方面的一切的学术，都须受科学的支配；就是我们向来认为精神方面的学术，如哲学、心理学、心灵学，等等，也都逃不出科学方法的疆界。但科学的先锋是好奇，大本营的主帅就是理智。所以侦探小说如果在启发好奇心和理智方面，果真有些微的助力，那么，这一本集子的发刊，即使不能算作有什么贡献，至少也许不致贻"灾梨枣"之

---

* 原刊于《霍桑探案外集》，上海大众书局印行，1932 年 7 月出版。

讥罢。

我在已往的二十年中所撰著的《霍桑探案》，有六十多篇，统计不下百多万言。上年我刊印的一集"汇刊"，原只是尝试性质。不料有许多嗜痂的读者，还鼓励我刊印其他的作品。我在这种鼓励之下，便忘了自己的谫陋，又搜集了十六篇长短的作品，重加整理，刊印一部"外集"。我自知这种幼稚的作品，当然还负担不了那启发好奇心和理智的重任。不过"登高自卑"，这集子或许可以算作一种引子，倘能因此而引起了同文的兴味，在文艺园中另造一个独立的蔚蔚的高阜，那就是我所馨香祝祷的。

民国二十年（1931）秋

程小青序于吴门茧庐

·目录·

双殉

黄浦江中

两封勒赎信

我常说"侦探"跟"冒险"有着不可分离的密切联系，而侦探工作的报酬，也就是因冒险而产生的反应——刺激。这一件"黄浦江中"是一种"入虎穴探虎子"的纪录。当时我们所经历的险恶紧张的情势，可算已到了最高度——我几乎丧失了性命！

可是我并不懊悔。此刻我执笔记述，那当时反应的余味，仿佛还在我的脑海中涌现着。

那天早晨十点钟时，忽有一个年约六十的老者，到我们寓所里来访霍桑。这老者穿一件黑素绸的棉袍，衣饰很朴素，方形的脸儿，慈祥的眼睛，相貌也很诚恳。他虽没有留须，眉毛却已染上了霜色。那时候他的脸上表现着一种惊慌含悲的神气，叫人见了生怜。霍桑很殷勤地接待他坐下，就问他的来由。那老者先咳呛了一阵，不即回答，却从他的衣袋中掏出一张照片和一张《申报》来。他举着颤动的手指，将报纸展开了，指一节本埠新闻给我们瞧。

那新闻的标题是：《再接再厉的小儿失踪案》。

我更瞧下面的记载：

上星期六，本报将郝奇珍的失踪案披露以后，引起了社会上一般人的注意和恐怖。不料一波未平，一波又起。前日宏源布庄主人俞守诚的公子慧宝，忽也失踪不见。慧宝才交九岁，在大华小学校里读书。那天他从学校中放学出去，在半途失踪，竟没有回家。俞家发觉以后，便报告警署，派侦探们往四处去侦查，也丝毫没有踪影。俞君的年事已高，所生只有这一位公子，现在竟忽失踪，自然觉得非常悲痛。

俞君是个诚实的商人，并且热心公益，他专力推销国产，去年营业有盈，还曾独力添设国民学校两所。所以他在社会上素来得一般人的敬仰。此番他忽遭意外，料想社会上一般人们和他表示同情的一定不少呢。

我们读完了新闻，我向那老者瞧瞧，我的心中不禁生出一种诚挚的同情。我又瞧那张照片，是个穿着童子军制服的俊秀的男孩。

霍桑便很恭敬地向老者说道："我想老丈就是俞守诚先生了。"

老者点点头。

霍桑又道："这一节新闻，我前天已经瞧见，当时我也很注意。并且因为先生是个诚实商人，我觉得格外同情。"

那老人忙立起来弯了弯腰："哪里，哪里，兄弟只尽商人本分罢了。"

霍桑伸一伸手，答道："请坐，不要客气。现在俞先生可是要把这一件事见委吗？"

俞守诚又点点头，悲怆地答道："是啊，小儿这时候，生死难保，全仗先生的大力，救他一救。"说时他又把手伸进他的棉袍的袋中去。

霍桑道："今天是十一月二十日。令郎失踪的一天，不是在十六日吗？"

俞守诚道："正是，那天傍晚时分，小儿从学校中回来，半路上忽落贼手。当时我还不知底细，派人往四处去寻觅——"

霍桑忽插口道："那么，你现在已知道底细了吗？"

俞守诚已从衣袋中摸出一封信来，授给霍桑，应道："是的。请先生瞧这一封信。"

霍桑将那封信抽了出来。我也凑近去念道：

"守诚先生，你接得这信以后，大概可以稍稍安慰些了。你的儿子慧宝，此刻在我们船上，我们加意保护着，你尽管放心。我们闻得你布庄的营业，非常发达，所以特地将你的儿子暂做抵押，要向你告借两万元。你见信以后，应得于二十四点钟以内，将该款送到杨树浦黄浦江中的五福船上，将他赎回。这是我们的好意，你须明白些。如果你不知利害，三心二意，那就也怪不得我们。须知我们都是靠杀人为生活的，决不受欺，也决不怕人，你应得知趣才是。"

霍桑一边将信笺折叠起来，一边又瞧瞧信封，答道："唉，这信上写着发信的时刻，是十一月十八日下午二时。此刻已是二十日十时，二十四点钟的限期已过。你怎么延迟到此刻才来？"

俞守诚忙道："这也有一个原因，并非我故意延搁。因为前天傍晚我接到了这一封勒赎的通告以后，不觉又喜又惊。有人提议把这信送交警署，让警探们去设法领回。我却觉得太冒险，绝不赞成。我宁可牺牲两万元的代价，万不忍将我的慧儿去做孤注。但我的年纪虽不甚大，却已是一个衰弱的老朽，经不起风浪。若我亲自去赎，深恐反而要误事。我因去见我的胞弟守谨，请他带了钱，往盗船上去走一趟。他当时答应了，约定昨天十九日早晨去赎。"老人又连续地咳嗽起来。霍桑起身去倒了一杯热茶给他。

我等他稍停，搀言问道："令弟到底去过没有？"

老人摇摇头，带些愤怒的口气说："没有！不料守谨听了他老婆的说话，临时忽然毁约——唉，好一个贤惠的弟媳！好一个有情义的兄弟——那时真使我惊骇亡魂。因为限时既到，又没有相当的人代表前去，我想到慧儿的性命怎样，真是急得没命！到了昨天晚上，我又接到一封信。现在我一并带来这里，请先生再看一看。"

老人说时，带喘带呛地取出信来。

霍桑果然又接过来，高声念道："你第一次失约不来，真是太不知好歹了。现在姑且宽限二十四小时。如果你再不识相，那你也不必再来，你等着黄浦江里去捞你儿子的尸骨好了。"

霍桑读到这里，老人的面色，突然灰白，他的手和足都簌簌颤动，呼吸也越发急促了。

他期期然问道："霍先生，你想我儿子此刻还有命没有？"

霍桑也沉着脸色答道："这第二次的信，是昨天十九日晚上发的，限期还没有过，令郎当然没有危险，你别着慌。你此刻来见我，不是要叫我去做取赎的代表人吧？"

俞守诚连连点头说："正是，正是，我起先因为并不做捕盗的计划，所以想不到先生，现在我左思右想，再没有可以信托的人，就来恳求先生代表我去做一做取赎的人。我恳求先生权且不必和那一班强徒为难，以免连累小儿。这一点总要请先生发些慈悲，应许我了，我才可以安心。"

霍桑把那信笺折叠了，在手中拍弄着，低了头答道："你的意思，既然情愿出两万元的代价把令郎赎回，我自然也绝不会从中坏事。但其中有一个要点，必须先侦查清楚。我闻得令郎还只有九岁，当然不会签字，这两封信，又都没有具名。那么这写通告的人，是不是真情勒赎？或是有什么不相干的人，因着报纸上的新闻，从中假冒诈骗？这一着必得弄明白了才好着手。"

我暗想这一节真关紧要，否则不但赎儿的任务不会有成功的希望，还有两万元的落空和霍桑劳而无功的危险。

俞守诚解释道："先生的话不错，但第一次通告来时，就附着一个金锁片；第二次附一件衬衣，都的确是小儿的东西，显见不是假冒。"

霍桑又沉吟了一下，应道："那么，我姑且去走一遭，但须请我的朋友包朗同去。我们去的时候，我还须装作令弟守谨的模样。"

俞守诚的脸色，仿佛从愁云惨雾中透出了一丝晴光。他欢喜地说："多谢先生。先生们如果能够把小儿安然领回，使我父子俩骨肉团聚，我真感激不尽。我一定要重重酬谢的。"

于是彼此又商量了几句，就约定俞守诚回去取钱，我们等到二万元的赎款送到，就要急速动身往盗船上去，以免第二次延期失约，使慧宝有意外的危险。

老人临行时又竭力叮咛地说："霍先生，你已应许我了。这一次你必须将小儿安然赎回，切不可和他们为难。须知我不敢去请警察们办，就怕这一点。万一小儿有什么三长两短，莫说俞氏的宗祧就此斩绝，就是我这条老命也断断保不住了。"他的语声中充溢着父子的慈爱，附带着又是一阵咳嗽，足够刺激听受的人的同情。

霍桑安慰他说："老丈，你不必忧急。你的目的，只在安全领回你的公子，这一层我当然尽我的能力，遵命办到。以外的举动，由我负责，你也用不着过问。"

霍桑的所谓以外举动，似乎别有用意，所以我一等俞守诚辞去以后，乘着饭后吸烟时的休息，就要求他解释。

我道："霍桑，你对于这件事究竟有怎么样的计划？是不是真把两万元送上船去——"

霍桑忽摇头答道："不，不，这样一注相当大数目的钱，哪里不可以使用？我怎么会去供给那班匪徒？你真太憨直了。"

我笑着说："你可是打算从中吞没？"

霍桑的面容却很庄肃，摇头道："也不是。——你总知道两万元的事还小，但留着那一班匪徒，任他们扰害社会，还成什么事体？"

"那么，你还想捕拿贼党吗？"

"当然，我们少不得总要网几条大鱼玩玩。"

"这样，事实上也许不免决裂。你保得住不致连累那被掳的俞慧宝吗？"

霍桑缓缓吐着烟雾，沉吟着说："我想不会得连累吧。"

我听他的口气有些把握不定，又问道："你用什么方法着手？要借重警察们的助力吗？"

"不是，如果如此，那么，明仗交攻，那真不免要累及俞慧宝了。"

"那么，难道就是我们两个人上船去不成？"

"是啊，我装作俞守谨，你却不能不屈褒一回，改扮我的仆人。"

“就是我们两个人上去？”

“对。”

“不太危险吗？”

“你怕危险？”

“那当然不怕。不过这件事有关那俞姓父子的性命，我们不能不审慎一些。”

“我们上了船，随机应变，也许就可以成功。”

我追问道：“你所说的成功，可是指获得慧宝说的？还是指捕匪徒说的？”

霍桑笑道：“你问得太仔细了，老实说，我理想中的成功，不止一端，却希望一举两得呢。”

这时候我们的谈话，忽被电话的铃声所打断。霍桑就立起身来，丢了烟尾去接电话。

江南燕

我一边吸烟，一边推想霍桑的计划。我觉得这不无太冒险。我向来认为侦探的任务，冒险本是家常便饭，原没有什么忌惮。不过冒险也得有个合理的准备。虽则霍桑是神智出众的人，不容易叫他失败，但贼党的根据地远在黄浦江心的船上，我们两个人上船，万一有失，一时岂不难以脱身或求助？那时我们二人陷落贼手，众寡不敌，这个险冒得岂不太没意义？

隔了一会儿，霍桑才把电话挂断，缓缓地踱进办公室来。他的面容，非常庄肃，而且浮现着一种严冷的霜气。

我愕异地问道：“霍桑，这电话是谁打给你的？”

霍桑就烟罐中抽了一支白金龙，答道：“你总猜不到。”

我忙道："莫非一案未平，一案又起？"

霍桑摇头说："不是，那是江南燕打来的。"

我不禁跳起身来，手中的残烟也不知不觉地丢落了。

我道："那个神通广大的江南燕又出现了吗？他和你说些什么？"

霍桑坐下来烧着了纸烟，答道："他叫我留一些神，不要去干那一件失踪案子。"

我道："唉，这样说，他和我们正要着手的这一件案子有关系了。"

霍桑点点头。

"他还说些什么别的话？"

"没有，就是这简短的一句话。"

"那么，他打电话给你，表面上虽似打一个招呼，其实却含有恫吓的意味。你以为对吗？"

"这原是很明显的，但他却还口口声声算是忠告呢。"

"那么，你现在打算怎么样对付？"

霍桑忽喷出了一口浓烟，做坚决声道："这有什么怀疑？恫吓由他恫吓，我们只干我们的事！"

我停了一停，又问道："你的意思，不是决定要干这一件俞家的失儿案吗？"

霍桑定睛瞧着我说："是啊，我们早已决定了啊。你何必再问？我们刚才既然应允了俞守诚的请求，怎么可以反悔？"

"现在有了那江南燕的通告——"

"不，不。这不但不足以阻我们的进行，反鼓励起了我。包朗，你总知道我们本着好奇心的冲动，服务精神的贯彻和顾全我们的信用起见，即使赴汤蹈火，也不能不冒一冒险。你现在

2222

別胡思乱想，姑且裝束起來，一等俞家的款子送到，我們就要動身往盜船上去哩。"霍桑說完，便匆匆上樓去更衣。

我就重新坐在沙發上面，呆呆地思想，越想越覺前途的危險。我因思那班劫人勒贖的黨徒，雖然不知道是誰，大概都是些喋血的魔王。我們兩個人上去，事實上已覺不容易對付，現在又軋出一個神出鬼沒的江南燕來，豈不更加棘手？江南燕既然從中干涉，顯然也和黨人們有關，或者更進一層，這一出把戲就出於他的主動，也未始沒有可能。

江南燕是智詐多端的一個傢伙。我們前幾次和他相見，都險些敗在他的手裡。那麼，此番我們又和他去交手，能不能取勝，我實在不敢抱多大的奢望。不過霍桑既已表示得這樣堅決，我也勢不能再有什麼異議，只能跟他去冒一冒險了。

午飯過後，施桂帶領了一個僕人模樣的中年男子進來，原來是俞守誠家送兩萬元贖款來了。另外又附一張俞守謹的照片，以便霍桑改裝。我接收了後，就叫施桂把照片送到樓上去。我又寫了一張收據給那僕人帶回去。

一會兒，霍桑果然裝扮好了，穿了一件玄緞馬褂和一件深灰色寧綢的灰鼠袍子，足上一雙高跟皮鞋，很像一個新式的體面紳士。他的臉形本是方的，此刻下頦上綴着些黑須，便變成長方，眼睛上架一副墨晶眼鏡，把他的銳利的目光掩住了。我這時也不得不改扮一下，便穿了一件老布袍子和一件黑呢馬甲，裝作他的長隨。

霍桑瞧着我笑道："你留意着，稱呼時更須注意，別打破了階級主義，弄壞大事。"

我道："我不是應得叫你一聲少爺嗎？"

霍桑搖頭道："還不夠。這個'少'字還得老一老才好。

你的名字就叫喜禄，你也决不可忘怀的。"他说着取一包宝塔牌纸烟授给我。"我们都是吸纸烟的，这时也不能不分一分等级。上船之后，你权且吸一吸这一种，我却须吸雪茄烟了。"

我们都将烟藏好。霍桑又拿了慧宝的照片和党徒的来信，最后他又将那送来的纸币分一半纳入衣袋，其余一半却藏在铁箱之中。

我问道："你准备给他们一半吗？"

霍桑摇头道："这一半也只是一种香饵。我们哪里来的钱送给他们用？"

我暗暗好笑。他竟想全数吞没，可算得"如意算盘"打得太精了。但不知他的口胃怎样，到底吞得下吗？

霍桑忽招呼他的仆人施桂，向他附耳说了几句。

他叫我道："包朗，你身上有白手巾吗？"

"那是我随身带的。有什么用？"

"我们也许要出汗，当然用得着它。"

"要出汗？我——"

"别多说了，我们走吧。"

"就动身吗？但我还须上楼去拿一样最要紧的东西。"我说着就回身上楼。

霍桑忽一把拉住我，说道："你去拿什么？何必多费工夫？"

我道："我的手枪还没有拿。这东西不可不备。"

霍桑仍拉住我不放，说道："唉，这是用不着的，不要耽搁了。"

我呆住了，大大地诧异，思忖这一次我们躬临贼窟怎么连防身的手枪都可以不备。

霍桑见了我疑惑的状态，忙又道："你别着急。我早给你预备好了。快快走吧。"

上船去

我和霍桑坐在往杨树浦的电车上时，心中兀自忐忑不定。想到这一次上盗船上去，是成是败，是凶是吉，委实不能预料。但霍桑却镇静如常，似乎确有把握。他的目的，不但想白白地将俞慧宝领回，却还希望拿住几个匪徒。我是一向佩服他的勇敢任职的干才的，但此次他这样过于大胆地冒险，我实在想不出他凭着什么根据。

霍桑吸一会儿雪茄，忽低声向我说："包朗，你此番的一举一动，必须听我的指挥，决不可任意妄动。你须知妄动要弄坏大事的。"

我点点头。

霍桑又说："少停如果得手，你不妨带了慧宝先走。"

我道："你单独留在船上吗？难道真个打算捕盗不成？"

霍桑微微点了点头，不再回答。他重新吸他的雪茄。

我又道："你可知道这一班党徒的势力究竟怎样？"

霍桑缓缓地答道："大概很厉害吧。"

"你想他们的党魁，可就是江南燕吗？"

"我想不见得。若说他和党徒们有些关系，似乎更近事实。"

"我也但愿如此，否则便危险了。"

霍桑忽又张目问道："这话有什么意思？"

我答道："别的莫说，江南燕是看过我们的，我们这样装扮，也许会被他瞧破。如果如此，不是不但前功尽弃，而且还有危险吗？"

霍桑笑道："包朗，你究竟太老实了。你想他如果有瞧破我们的本事，难道我们就没有抵抗的能力吗？现在你姑且振作些，切不可存什么畏葸的心理，反而露出了破绽——这里三泰纱厂已过，电车将到尽端，你谨慎些吧。"

我们到杨树浦下了电车，向南转折，进了一条蔓沙路。那里很是荒僻，既没住屋，又不见行人，只有工人们的耶许声和电车的叮当声，还隐约可闻。我们走到滩边，见离滩边几百码远的江心中，果然有一只小轮船停泊着，但不知是不是就是那五福船。

霍桑引着我沿滩走去。我们将到腾越路相近，他忽而住了脚步。

他低声向我道："你可曾见那只小轮上扯着的一面小旗吗？"

那时我们越走越近，那只轮船瞧得比先前更清楚些了。我果见船尾上扯着一面白旗，旗上绣着五只红色的蝙蝠，围作一圈。

我应道："大约就是这一只船了。"

霍桑不答。他的面容忽而庄凝起来，似乎有什么心事。

他又附耳向我说道："你可还记得'怪别墅'一案？"

我经他一说，忽然记得那一案中，就是说有一班从外埠来的匪党，党名唤作"五福"，一向在长江一带活动，专门干那掳人勒赎的不法营生。他们到了上海，想要把真如的一个姓华的别墅当作党人们的根据地，那时却被霍桑破获机密，没有成功。现在这样，他们似乎卷土重来，把轮船做大本营了。

我应道："我记起来了。我还记得你说过，你曾经见过他们的党魁毛狮子。是吗？"

霍桑点头不答。

我又道："那么你此番上船去，不怕他认识你吗？"

霍桑道："我们小心一些，也许不致如此。你别多说了。你瞧，那岸滩边泊着一只小舢板。"

我果见有一只小舢板船，那摇船的人，立在后舱口，也正向我们望来。我顺势招一招手，那船夫立刻把船拢近来。

霍桑开口道："请你把我们两个人送到那只轮船上去。"

那船夫似乎预知我们的来意，连忙点了点头，答道："请上船吧。"

霍桑向我瞅了一眼，便把一只手按在我的肩上，故意装作老年人体弱害怕，不敢上船的样子。

舢板开了，我们都没有话说。船夫摇得很快，一直向那小轮进行。将近轮船时，霍桑摸出一个银圆来给船夫。

他说道："这是给你的船价。停一会儿我们回去，还要烦劳你摇一摇呢。"

船夫谢了一句，已将舢板靠近小轮。那时有一个水夫装束的人，走近船边，摇舢板的暗暗向那人使了一个眼色。霍桑只装作不见，但向那水夫望了一望。

他问道："这就是五福船吗？"

那人点点头，应了一声："是的。"

霍桑向我道："喜禄，你先上去拉我一把。"

我就先跨上船去，回过身来，伸手把霍桑接上去。

那水手向我们仔细打量了一会儿，便问道："你们从哪里来？"

霍桑答道："我来见你们船主的。请给我通知一声。"

那人就引我们走进一间近船尾上的黑暗小舱，转身阖着舱门出去。

我定睛瞧时，见这舱的容积很小，只有那扇舱门可以出入。

中央摆一只圆桌，桌上有几只酒杯，杯中还有些余酒存着。此外还有木凳五只，一只凳靠在壁角里，已经折去了一脚，似乎打架时有人把它权充武器，因而使它受伤残废。舱的近岸一面，虽然有一扇窗，却装着铁条，并有窗帷幕盖着，越觉得乌漆漆的。舱中的空气也觉得陈腐难受。

我正想把窗幕揭起，向外面偷瞧，忽闻有重浊的足步声音渐渐近舱。我吓得一跳。霍桑也急急向我示意，似责我不应东张西望，免被人家瞧破虚实。

舱门砰地开了，闯进一个人来，那人又高又大，进舱时不得不偻着身子。我仰面瞧他的相貌，煞是可怖，他的面色既黑，两颧上肌肉隆起，又加着乱蓬蓬的须发和黑厚的眉毛，恰称他毛狮子的雅号。最可怕的，就是他的一双棱角式的怪眼，灼灼逼人。他身上穿一身黑绉纱的短袄裤，袄的左右两个大袋，袋口上各露着一把雪亮的镀镍的枪柄。他一步步跨下梯级，走进舱来，反手把舱门关住，张着怪眼，向我们瞧视。我们也向他瞧着，动都不动。一会儿，那人的眼光却注定在霍桑的身上。

他突然开口问道："你不是姓霍吗？"

这一句话一进我的耳朵，我的心房的跳动，几乎霎时停止。那人的一副怪眼真厉害！我们的假装一眼就被他瞧破了！我们的性命，不是危险了吗？那时我急急偷瞧霍桑，他却仍旧不露声色，只仰着目光静悄悄地坐着。接着他的头略略摇了一摇。

他沉静地答道："不是，敝姓俞啊。"

那大汉忽而点一点头，应道："不错，你大概是俞守诚？"

霍桑又摇头道："也不是，我是他的胞弟，草字是守谨。"

那人搔搔头皮，又似领悟的样子，答道："对了，我听说守诚有一个弟弟，大概就是你老人家了。"

我听他们俩的谈话，渐渐和缓起来，我的惊魂也略略安宁了些。原来那人劈头的一句，大概只因为畏忌霍桑的大名，特地试探试探的，并不是真正认识。幸亏霍桑老练，凭着他的镇静功夫，溜过了一重难关。我想假使我易地而处，那就是保不住要被他冒出来了。

霍桑已缓缓地从衣袋取出那两封勒赎的信来，说道："这两封信不都是你发出的吗？我们就为着这事来的。你想必早已知道了。"

那人张着一张大口笑道："怎么不知道？我盼望好久了！你为什么昨天不来？如果再耽搁几个钟头，你的儿子——唉，你的侄儿就要进黄浦江里去玩了。"他回身开了舱门，向舱外说了一句，又反转身来。

霍桑答道："家兄年纪大了，吹不起风，不能够出门。我却刚在杭州，他打了电报给我，我才乘夜车赶回来的。"

那党魁道："原来如此。否则，如果你们葫芦中合什么药，那就要自寻晦气哩。"

这时我忽听得舱外有小孩子唤"叔叔"的声音。

那人又笑道："你听得出吗？现在你的款子在哪里？快交出来吧。"

霍桑果然将纸币从袋中摸出来，向他恳求说："老哥，有一句话要请你原谅。家兄是一个小本的商人，近年来营业——"

那人忽接续道："我知道的，他去年赚了七八万。"

霍桑道："说哪里话？这都是人家的谣传，其实去年还要亏本哩——"

那人已不耐地插口说："好了，好了，亏本不亏本，谁耐同你查账？你快些拿钱来就好了。"那人说时，已一手将霍桑手中的纸币抢去。

我们被拘禁了

我又不觉吃了一惊。方才霍桑说过，这一万纸币，也不过是诱鱼的香饵。现在鱼没有上钩，香饵却已落入鱼口里去了！难道霍桑第一着已失败了吗？

霍桑眼睛睁望着他，现出敢怒不敢争的状态。那人把纸币数过一遍，顺手纳在袋里，忽而怒张着怪眼，直射着霍桑。

他问道："这里是一万啊，还有一万在哪里？"

霍桑期期然答道："老哥，请你原谅，实在是家兄拿不出全数，故而只把半数来孝敬。这要请你原谅的。"

那人厉声叱喝："哪个原谅你？你敢公然违我的命令，真是太不知趣了！"

他顿了一顿，忽推开舱门，重新探头出去，喊了一声。外面早有人答应着，立刻走进两个蛮汉子来。这两个人的身体都很魁梧结实，手中各执着一支手枪。我见势不佳，伸手摸摸衣袋，又没有带火器，只是束手无策。

我忽记得霍桑说过，他替我备好手枪。现在不是到了应用的时候吗？他为什么还只呆瞪瞪地坐着？他不是没智谋的人，想来不致束手待毙。他难道另有抗敌的方法吗？

那两个蛮汉一走进舱来，那党魁自己便从短衣袋中摸出两把手枪来，凝注着我们二人。

他又向他手下的二人发令道："胡兴，李七，你们把这两个人仔细搜一搜，到底还有没有钱。"

我才明白他们要搜检了。我身上没有什么，搜搜倒还无妨。但霍桑身上不是带着手枪的吗？如果搜了出来，那不但失却了防身家伙，而且还有破露真相的危险。可是我偷眼瞧瞧霍桑，却依旧保持他的镇静态度。

他缓缓立起来，说道："你们要搜，也不妨事。其实我身上只有几个零用钱，我绝不会把那款子私下藏起来的。"

那党魁毛狮子摇摇头说："我不相信，总得搜一下子。"

那两个喽啰走到霍桑的边旁，准备要动手了。

霍桑仍不慌不忙地答道："很好，但你们用不着动手，我自己把衣裳脱给你们瞧好了。"他便解开衣纽，把衣袋一只只翻给他们瞧。

唉，霍桑当真没有带武器吗？

那党魁忽厉声呼道："唉，你那短袄的衣袋里，怎么高高地耸起？藏的是什么东西？"

霍桑忽微笑着应道："噢，那是一只雪茄烟匣。"

党魁道："雪茄烟匣？怎么藏得这样严密？我也得瞧一瞧。"

霍桑笑嘻嘻地把烟匣取出来，衣袋中果真没有别的东西。他还开了烟匣子给那人瞧。

霍桑又说道："这烟的叶子很嫩，我防它泄气，所以藏在里衣袋里。你可要尝一支？"他便取了一支给毛狮子。

毛狮子并不客气，接过去衔在嘴里，顺手擦火烧着。他又回目瞧到我的身上。我本来没有什么东西，便照样给他们搜摸一回。那党魁见果真没有什么，便重新向霍桑谈判。

他说："你听着，我的话，比圣旨还要厉害，从没有人敢别扭过。我在那个孩子身上，既然估定了两万元，若使短少一文，休想把他领回去。现在你既然代替你的哥哥来了，少不得还要烦劳你，叫他把那个半数补足了才行。"

霍桑想了一想，带着惊恐的语调，问道："你的意思，可是要我回去再拿一万元来赎吗？"

党魁把一双凶目合成了两条丑怖的细缝，摇摇头说："这倒不必。你不妨在这船上屈留几个钟头。我们可以另外打发一个人代你回去。"

霍桑用手指指我，又问道："叫我的喜禄回去吗？"

党魁道："也用不着。我们自然有传达的人，用不着你费心。现在你只需写一张笔据好了。"

霍桑做诧异状道："要我写笔据？"

"对啊。"

"这个——这个——"

"这个很简单。写给你的哥哥好了。你只要说明我方才所说的话，不能短少分文。你再告诉他你们主仆二人，此刻也在这里做了抵押品。如果那其余的一万不立刻送来，你们两个也没有命活。那就不怕你的哥哥不依你了。"

霍桑忽战栗地立起来，摇手说道："这个笔据我不能写。老哥请你原谅。"

"原谅？你别做梦！"

"家兄实在再拿不出钱来。我写了也没有用。"

"呸！"

我听到这里，觉得这一个难关不容易渡了！因为霍桑若果真写那笔据，当然不能具他的真名。如此，俞守诚可能凭信吗？况且他明明已出了两万元，现在又说必须补足两万，语气也不合。这怎能不使俞守诚生疑？即使他不疑心，但霍桑从中留难的隐秘，不是要被发觉了吗？那么，我们即使最后能够将慧宝安然领回，霍桑的信用却已经丧失。这又怎么得了？假使慧宝有万一的不测，那就更不得了。因为俞守诚追究原因，当然会知道这件事由于霍桑的弄巧成拙。霍桑岂不是要负完全责任？

这时霍桑现出惊恐的样子，呆住了说不出话。

那党魁早把口中的雪茄取了下来，露着牙齿，严冷地说："你忘记了吗？我已告诉你，我说的话比圣旨还厉害！你真是个不识趣的东西！"

霍桑仍旧呆瞧着他。我见他的眼镜背后的目光，忽像电光似的闪了一闪，好像他快要动手了。原来霍桑自从从事探案以来，从来没有受过人家这样的奚落。那一年他曾陷落在断指党人的手里，刀锯临身，他也不显露一些屈服的态度。此刻他虽然变了本相，不得不忍受一下，但到了忍无可忍的时候，他当然也禁不住要露出他的本来面目。可是他现在手无寸铁，即使动手，又有什么凭借？他岂不是会白白吃亏？这时候他也许要觉得当我们出门时，他不听我带手枪的话，实在是失策了。

霍桑忽又现出强制忍受的态度，拱一拱手，低声向毛狮子说："老哥，你能不能让我再说一句话？"

那毛狮子睁了睁眼，答道："什么话？快说！"

霍桑道："你如果一定要我写那个笔据，补足其余的一万，那么，你此刻应得先把慧宝送回去。我们等在这里，等款子拿到了再去。这是我的交换条件。你道行不行？"

毛狮子依旧怒容满面，厉声呵斥道："呸！什么条件不条件！我早已说过了，两万的数目，短少半文，你们休想把那孩子领回去！"

霍桑又呆呆地噤住了。

那党魁又大声说："你知趣些，快些写吧。要不然，我就要给你颜色看，教你知道违抗了我的命令，决计没有便宜！"他把他手中的两支手枪扬了一扬，睁着两眼，向霍桑注视着。

霍桑这时的狼狈状态我简直不愿意再多瞧了！

他急忙点头，应道："好，我写，我写。"

那旁边的两个喽啰，早将纸笔端整好。霍桑便伏在那圆桌上，提起笔来一挥而成。

毛狮子似乎识得几个字，拿起纸来念道：

守诚胞兄：

　　慧宝现在船上。但此间首领以为赎款不足，须再补一万元，我和喜禄此刻也被抵押在船上。望你即速将款子付交来人，以便我三人安然回家。

弟守谨上

毛狮子读毕，点了点头，似已认为满意。我觉得霍桑的措辞非常圆妙，似乎可以掩护他的从中扣款的事实。

他便向他两个手下道："胡兴，李七，你们两个人伺候在这里。等一会儿，完了公事，我会吩咐老九，每人多赏一斤。但他们俩如果要什么烟茶食物，也不要怠慢他们。"

那两个人很恭敬地答应着："是！"

毛狮子又向霍桑点点头，说道："你们安静些，等你哥哥的回音来了再说。"他说完就转身出舱而去。

舱门又砰地阖上。我们俩都被拘禁起来了！

霍桑的计划

这时候我坐在那里，真像坐在针毡上面。我们上船之后，可算招招失败。霍桑竟没有一些抵抗的举动显露出来。现在笔据既出，虽然他写得狡猾，没有说明补足二万元的话，但传信的人，一定是船上的喽啰。若使俞守诚究问根由，那人当然要和盘托出。那么，霍桑从中扣留一万元的隐秘，势必不能够保持到底。

我一面替霍桑担忧，一面又感到异常闷懑。但霍桑的模样却仍十分安闲。

他忽叫我道："喜禄，事既如此，我们姑且安坐一会儿。大概不到天黑，我们终可以回去的。"

我听了他这句自己安慰的无聊话，越发觉得难受。但向他瞧了一瞧，又觉得这说话似乎是一种暗示：意思说，我们不到傍晚，就可以成功回去。可是他又凭着什么神通，能够从贼手里脱身成功呢？

他又自言自语地说："我们在这个舱里，烟酒随意，倒还不觉得困苦。只是慧宝那个孩子，不知道关在什么所在。他肚子饥吗？身上冷吗？他既没人照顾，岂不可怜呢？"

那两个人中的一个黑脸较矮的汉子，接口答道："你放心，他也有人伺候，绝没有苦吃。"

霍桑缓缓拿出雪茄烟匣来，取了一支烧着。他答道："虽然如此，今天这么样冷，他如果在什么当风的地方，哪里忍受得住？"

矮汉忙应道："他们在船头上的第二舱里，就在毛老板中舱的隔壁。那里非常温暖，一些风没有的。"

霍桑道："噢，那就好了。我也可以安心些。"

他的眼光又从眼镜背后向我一闪，似乎说我们已知道那孩子的拘留处了。接着，他就托着雪茄烟匣，伸展开去，授给二人。

他说道："这是上等雪茄，香味顶好，你们的首领刚才已抽了一支。我请你们大家也尝一支，不用客气。"他就顺手抽出两支，授给二人。那两个人笑嘻嘻地接过，各自擦火吸着。

霍桑又说："你们船上一共有几位弟兄？"

黑脸的计算了一下，向另一个胖子道："此刻在船上的，不是有十三个吗？"

那胖子不答，只摇了摇头，似乎叫他不要多嘴。黑脸的果然住了口，只断续地吸那雪茄烟。

霍桑问胖子道："老哥，你们有酒吗？我很想喝一杯暖暖身体。"

胖子把大拇指向舱的一壁指一指，说："酒？我们每天晚上都要喝个畅快。那里多着呢。可惜我不能够给你喝啊。"

那黑脸的忽接嘴道："毛老板没有禁止他们喝酒。你不如到隔壁去向老九弄一杯给他。"

胖子道："那么，你去向老九讨——弄一瓶来更好。"

黑脸的摇摇头说："不行。李七，还是你去。我的名声坏。他也许不相信我。"

霍桑忽打了一个呵欠，说道："唉，我倦得很，夜车上没有睡，年老了，不中用了——喂，老哥，我此刻还不想喝。停一会儿再烦劳二位去讨酒吧。"他又把两臂伸了一伸，似乎果真很倦。

我也觉得非常无聊。我记得衣袋中带着宝塔牌纸烟，不如取一支吸吸。我正掏出了烟匣，拿了一支，忽听得霍桑咳嗽一声。我见他的眼光，正盯住我的面上。我知道他这一瞧定有什么意思，但一时还猜想不出。那时霍桑的眼光，从我的面上移到我手里的烟匣上面。我才明白了，立刻把取出的一支烟仔细一瞧，觉得那支烟很松，似乎经人重卷过的。我又取别一支比较，果然不同。我就换了一支紧而有一点黑点做记号的吸着。

霍桑的计谋，我已猜透了八九分。他那两支请客的雪茄烟里，大概也藏着什么机关。这两个守兵，不免要中他的计了。

我再抬头瞧时，霍桑已放下了雪茄，伏倒在圆桌子上。那个黑脸的也早照样伏着，只有那个胖子，还硬挺挺坐着。一会儿，他忽然把他手中的雪茄用力向地上一掷，伸手摸一摸头，又向霍桑瞧瞧。霍桑也正抬头向他瞧着。

那胖子睁一睁眼睛，突然把手伸进袋里，拔取他的手枪。我知道不妙。他大概已从烟味上明白了霍桑的计谋。

我陡地立起身来，直扑过去，要夺取那人的手枪。霍桑也已从桌上跳起，一手已将胖子的手枪夺过。我急乘势将胖子的口按住，防他声张出来。其实这胖子在这时也早已没有多大的余力，所以并不抗拒，就安安贴贴地仰倒在我的身上。

唉！我刚才满腹屈辱的闷气，此刻已消散了许多。

霍桑又开了雪茄烟匣，把匣中余存的四支雪茄取出，又从匣底取出一个小瓶，顺手将瓶向二人的鼻管上放了一放。我知道那是克罗仿谟①。

我低声笑道："你带着这许多东西，果然比手枪厉害多了。"

霍桑指一指黑脸的衣袋。"你要手枪，这不是吗？我早对你说过，我替你预备好了。"

---

① 克罗仿谟为 chloroform 的音译，即氯仿，旧时医用麻醉剂。

"我想不到你的话还有一个转折。"

"你想有一个转折的好，还是由我们直接带来的好？"

"不错，依照你这个计划，如果带了枪来，反而会坏事。"

"我早知道这船上不会少枪，只要我们肯赏光借用。"

"别多说闲话了。现在你打算怎么样动手？"

霍桑皱着眉头道："今天的事，事势上不能不烦劳你了。"

"我很愿效力。你有什么计划？"

"你瞧这两个人的身材，一个太矮，一个太肥，和我相差太远。还是你和黑脸的胡兴有些相像。"

"好。我改装了他，又怎么样？"

"第一步，你改装之后，混到慧宝的舱里，把他领出来；你再做一个信号，以便水警们来接应。"

"唉，你已和水警们接洽过了吗？"

"是啊。我在寓里打过电话给水上警察署，叫他们伏在浦东方面，装作渡船或货船的模样，在江面上往来。因为我料定贼党的戒备，一定只注意在浦西的沿岸。但瞧方才那只舢板，就是一个明证。现在你如果能够向浦东方面瞧瞧，那你一定可以瞧见我的伏兵。"

我又问道："那么，怎么样的信号？你可曾和他们约定？"

霍桑道："简便得很——你身上不是带着抹汗的白巾吗？你只需立在船的靠浦东的一边，把白手巾挥三下子，他们就立刻会来接应。但那时候若使有什么阻碍，你必须预先设法安排，以便慧宝可以安然离船。然后我们再进行第二步计划。"

我道："第二步又怎么样？"

霍桑摇摇头道："别多问了。等第一步成就了再说。现在你快些换衣。我来替你化装。"

　　我急急解衣，又将黑脸的衣裳脱下来，穿在我自己身上。霍桑忽将他自己皮鞋上的高跟旋下来。我知道那鞋跟本是一个可以活动的铁壳，外面裹着橡皮，内中却可以藏秘密的小件。这时他果然拿出几种化装用的颜色来，替我在脸上涂抹。

　　他向我瞧着说道："很相像了。但他的北方声音，你须得改一改口才好——"

　　霍桑忽顿时住口，伸长了脖子静听。我听得有足步声音，缓缓走近。霍桑先向四面一瞧，拿着那胖子的手枪，便腾身贴在舱门旁边，似乎准备有人进来时突然狙击。因为那时舱中的状况凌乱无次，若使有匪党们进来，当然免不掉会瞧破机密，坏我们的大事。

　　我更细听时，觉得那足步声从中舱而来，越走越近，转瞬间已到了舱门外面。

　　我的手枪已握好，呼吸也忍住了。我觉得我周身的血液流得很快，心房撞击着胸壁，好似听得出声音。不料那步声并不停留，渐渐向船尾而去。

　　霍桑低声道："那大概是一个巡逻的人。"

　　我道："我还怕是毛狮子呢……唉，我记起来了。那党魁方才也曾吸过你的雪茄的，此刻他不是也醉倒了吗？"

　　霍桑摇头："不，他吸的一支像我一样，也是没有蒙药的。否则，欲速不达，也许反而误事。但你须记着，这个巡逻的家伙，你在发信号以前，必须先将他安排妥当。"

　　我问道："怎样安排？借重我的几支纸烟吗？"

　　霍桑道："是啊，但如果有机缘，也不必拘定一格——喂，你到底能担当吗？"

　　我立即应道："当然能够。"

我口虽应着，心中有些惶惑，只怕"心有余而力不足"，委实没有什么把握。因为我们每次探案，总是霍桑为主，我不过从旁辅助。此次我却须独当一面，而且所担当的责任，又艰险非凡，故而能否成功，我实在不敢自信。

霍桑正轻轻开了舱门，向外面窥探。他忽低声道："你姑且来嗅一嗅。"

我答应着，就也探头出去，觉得有一阵酒香，随着舒适醒脑的凉风吹进我的鼻腔。

霍桑道："这是绍兴酒的蒸汽。大概他们在那里暖酒，预备晚餐了。"

我点点头。这时已交薄暮，外边暝色四起，远望江面上，已是一片模糊，将到晚餐时分了。

霍桑退进了舱，低头想了想，忽向我说："我变计了。"

我忙道："怎样变法？"

"先前的计划，我叫你一个人去担当，究竟太险。现在不如利用那酒的机会，把他们一网打尽，然后再安然下手。你以为怎样？"

"可是用酒去蒙醉他们吗？"

"是啊，据这个胖子说，他们每天晚上都喝酒的。你若能将蒙药设法掺入他们的酒里，我们便可以安享其成。"

我点头表示赞成。

霍桑便从那四支余存的雪茄烟中，抽出了一支，又向我说："这里面藏着有溶化性的蒙药，你只需拿去放入他们的酒里，便可以成功。"

我受了那支雪茄，折了两截，中间果有蒙药，就将药末取出来藏好。

我说道："我此刻就去吗？"

霍桑点点头，说道："你须谨慎啊！"

血　战

我跨出了舱门，鼻子里吸收了新鲜空气，骤觉舒爽异常。我抬头一望，夕阳早已西沉。轮船附近并无船只。那个巡逻的匪徒，已从船的那边，缓缓地踱向船头上去。此外却不见一人。我心中略略安定了些。因为我这时扮着那个黑脸喽啰胡兴，形态上虽或能勉强相像，但他行步的姿势，我没有见过，口音也当然不能模仿得相像，假使遇见人，未免有些危险。幸亏没人瞧见，我就顺着酒香走去。

酒气就从船尾上透送出来。没有几步，我已到了那尾舱的窗前，我偷眼瞧，那是一个厨房，里面有一个正忙着备菜。炉子上酒锅内的热气，正一阵阵地冒着。那人偶一抬头，忽已瞧见窥探的形状。

他便喝问道："谁？鬼鬼祟祟，做什么？"

这是千钧一发的时机了，我不能不硬着头皮进去。我走到门口，冒险喊了一声：

"老九是我。"

那人略略向我一瞧，便道："胡兴，你来干什么？"

我不敢再出声音，又不知道怎样回答，一时无计，但耸一耸肩，呃一呃嘴，勉强榨着喉咙，榨出一阵咯咯的笑声。这一笑竟大得其当，发生了微妙的作用。

那老九忽扮着鬼脸，说道："哼，你又想来讨酒吃！今天却对你不起！"

我乘势装作俏皮的状态，一步步推进舱去，再进一步，我突然举起手来，向木架上抢了一只杯子，揭开酒锅，急忙舀了一杯。那杯子刚才凑近我的嘴边，那叫作老九的厨夫，猛地在我背心上打了一拳。

老九骂道："酒鬼，你竟敢自己动手？"

我忍着痛，只顾喝酒。我喝了半杯，那人已一手把我手中的杯子夺过去。我也趁势低着头逃走似的奔出舱来。不料我在舱门口和一个人撞个满怀。那人手中拿一只长盘，经我一撞，那盘便落地上。我仍努力地奔出，同时听得那第二人在破口大骂。

老九也接口道："胡兴越发不像话了，今天他仗着派得了些公事，竟自己来动手了。"

那第二人回答些什么，因我已奔回进那间我们被拘禁的小舱，故而听不见了。我进舱时霍桑正在黑舱中捆扎那两个喽啰。

他一见我，忙问道："怎么样？"

我点点头，应道："大概成功了。"我就把借着抢酒的动作，已将预先藏在手中的蒙药搀入酒锅的事说了一遍。

霍桑笑道："难得。这件事成功以后，你要居第一功了。"

我道："且慢论功，等结果如何再说。"

我们便关着舱门静坐。隔了一会儿，我忽听得中舱里一阵子噜扰声音，我知道匪徒们大概已进去进晚餐了。我心中仍怔忡不宁，深恐我的计策被他们发觉。不一会儿，又有急促的步声，直向我们的小舱边来。那时舱中虽然很暗，但如果有人进来，终不免要露出马脚。霍桑把我一推，我知道他的用意，就走近舱门去。那时舱门上果然有人推动。我陡地把门开了，跨到外面，把身子蔽着舱门。

一个人手中提着一盏油灯，授给我说："胡兴，你今天多赏一斤酒。"

我受了灯,故意鼻子里哼出声音来答道:"眼红吗?"

那人道:"眼红?但你此刻还得咽一会儿涎唾!你要等到我们吃好,酒才能进你的馋嘴。你肚子里的酒虫,也许钻破你的喉咙!"

我装作要举拳打他。他果然回身逃去。

唉,这一次难关居然又逃过了!

我们把油灯故意旋得暗一些,静听那中舱里的声音。那嘈杂声喧呶了一会儿,约莫经过了二十分钟的光景,便渐渐地沉歇下去了。是不是药性已奏效了呢?

霍桑忽向我说道:"你姑且出去瞧一瞧,不要功亏一篑。"

我又第二次轻轻走出舱来。江面上已一片黑暗。我一步一步走向中舱,脚步迟缓而稳固。果然有一阵酒香扑我的鼻管。我暗暗快乐,他们果真在那里喝酒了。等到我走近舱门口时,竟然已没有什么声响。我还不放心,仍俯着身子,很谨慎地把目光凑近中舱的窗口。

这间中舱很大。中间挂着两盏火油灯,照见中央排着一只大圆桌,有八九个人围绕地坐着。内中有几个脸色污黑,好像是机舱中的工匠,却都已东倒西歪,似乎都已醉倒了。这几个人中,那党魁毛狮子也在其列。

我这时不禁心花怒放,几乎要欢呼起来。大功告成,就在眼前了!我仔细把人数瞧了一瞧,急忙回到霍桑那里,把情形告诉他。

我说道:"那里有九个人都蒙倒了。方才黑脸的胡兴说,船上一共有十三个人。除了那九个醉倒的人和这里两个,一共十一个,此外只剩那厨房里两个人了。我们若能把这两个人一齐制服住了。全船都可以归我们掌握。"

霍桑忙应道:"那么,我们赶快往厨房里去,稍一耽搁,也许会被这两个人发觉。"

我就回身引导,一直到厨房的窗口。我往里面一瞧,只剩一个老九在那里。

我低声对霍桑道:"我方才还看见一个副手,此刻却不在这里了。"

霍桑道:"那么,你招呼他吧。我往中舱里去。"

我答应着,就把手枪拔了出来,打算跨进舱去。

老九忽拿着一根铁棒,从舱门里直冲出来,大概我们的谈话,已被他听见。我急将身子一闪,避过铁棒,举起手枪,向他的腿部击了一枪。老九喊了一声,立刻倒在地上。我走近他时,他还向我切齿咒骂:

"唉,好一个奸细!我的眼睛瞎了!"

"你认识我吗?我却还念你方才半杯酒的情谊,姑且饶你的性命。"

我说完了走进厨房里去,找着了一根草绳,把老九的手足紧缚住;又拿了一块抹布,权且塞在他的嘴里。

我回到中舱,那个和我撞满怀的厨子副手,也早已被霍桑捆扎好了。霍桑已寻到了一大卷麻绳,正在捆缚毛狮子的手臂,神情非常兴奋。我见他如此,并不去打断他的兴致,就定意寻向船头上的头舱里去。因为我们的目的,第一在领回那俞慧宝。这时全船的盗匪既然都已被捆,当然先应将慧宝救出来。

我走过一舱,见有灯光露出。我偻了身子,引目一瞧,知道是毛狮子的卧处,却已空洞无人。我记得慧宝拘禁的所在,就在毛狮子舱的隔壁,大概再次一个舱门就是。

我距离那个舱门约只一码远时，猛听得有一种声音，出于舱门的那边。我吃了一吓，急忙止步。接着我又听得有人从舱板上立起来，打着呵欠声发问：

"谁？"

我才知还有一个没有蒙倒的人。大约黑脸的所说十三个人，没有算清楚，或是除去了党魁毛狮子说的。那人似乎是派在船头上巡逻的，他却打起盹来，连船尾上开枪都没有听得。

那时我早已偻身伏着，默不作声。

那人第二次又问道："你是什么人？怎么不答应我？"

这一次声音高得多了。我仍旧一动不动地伏在黑暗中。

那人含着惊慌声道："你到底是谁？是不是奸细？我要开枪了！"

我已瞧见了他的人形。"先下手为强"，自然是应付这种局势的格言。我便又瞄准地发了一枪，那人竟应声而倒，没有声音。我防他诈死，等了一会儿，蛇行着趋近前去。原来那枪弹已打中了他的咽喉，自然喊不出声了。

我正准备进舱，忽听得"拍拍"之声。定睛向江面上一瞧，灯光星星，在江面上流动着。一只小汽船，正驶向我们逗留的轮船。但霍桑所说水警们接应的货船渡船，等等，却一只都不见，我的白手巾也始终没用。我暗吃一惊，料想这一定是岸上的同党们回来了。别的莫说，方才出去补一万元的那个党伙，这时候也该当回来。我计量已定，便又借重着那支手枪，向来船砰地放了一弹。这一弹虽然不见得命中，但那汽船竟立刻停驶。有几个船上人口中高嚷着，似乎打什么口号。我绝不理会，连接又放了一枪，料他们再不敢冒险驶近。

我又匆匆转入头舱。舱门关着，舱中也有些幽暗的灯光。

我伸手一推，门是虚掩的，便踏下梯级一步步进去，嘴里还高声喊叫：

"慧宝，快来！我来救你出去了！"

果然有一个八九岁的男孩子，从舱的一角中答应着，直奔出来。我欢喜得好像得到了什么宝贝，慌忙张开双臂，偻下了身子，想把他抱起来。不料我的身体刚才蹲下，突然间又有意外的发展。

砰！枪声响时，一粒枪弹直飞过来，打中了那慧宝的脑背！他立刻倒在地上，血像泉水般流注出来。他的头壳已被打碎，脑浆迸裂，已没有用了！

这一着真出我的意外。我不提防船上还有第十五个人。他这一枪竟使我前功尽弃！我愤怒极了，几乎发狂。我举起手枪，向黑暗的舱角里乱瞧，想寻觅那个发枪的人伏在哪里。

砰！

第二弹又来了。我但觉左肩膊上一冷，身体也不禁摇了一摇。我的神智还很清楚，我知道我已中弹！我的身体有些支撑不直，却还努力向发枪处回了一枪。接着我便觉肩上痛得厉害，血液也沁沁流出。我的脑中一晕，两只脚再也撑立不住。以后我便不省人事了。

两节新闻

我重新苏醒的时候，觉得我在一间不曾经见的温暖的小室里面。那环境很清洁、安静，阳光照着玻璃窗上的白帘，明亮得可爱。我自己却躺在一张没帐子的榻上，榻旁坐一个二十岁左右的女子，浑身穿得雪白。这时伊见我张开眼睛，东瞧西瞧，便含着笑容问话。

伊说道："你觉得舒服吗？"

我只向伊仔细打量，一时竟不能答复。

伊又说："你不是觉得诧异吗？这里是医院啊。"

我才答道："唉！我怎么会到这里来？"

那女子道："你不明白吗？你昨天晚上在盗船上受了枪伤，你的朋友就将你送到这里。那时你已昏晕过去，何医师替你镊出了弹壳，又替你洗裹好了，就使你安睡。你此刻才醒呢。"

我经伊一说，恍然记起昨晚的事来，同时又觉得左肩上非常木强，不能动弹，四肢也很觉疲乏。

我问道："你说我的朋友送我来的，他是姓霍的吗？"

伊点头答道："是的。他守了你一夜，天亮了才回去。"

我又问："他没有受伤吗？"

伊点点头，脸上仍浮着那温柔的笑容。

我暗想我虽受伤，霍桑幸而无恙，还算是不幸之幸。但我回想到那俞慧宝在将近出险的当儿，忽被那一个不知谁何的贼匪击毙。真正劳而无功！我们费尽心力，终归失败，我实在觉得万分懊恼。我推想此次所以失败的原因，也无非我在击退汽船之后，精神错乱，太不谨慎的缘故。此刻慧宝既死，我也受伤，又使霍桑爽约，不能把慧宝交回给俞守诚。种种失着，我真觉得无以自解。还有那些醉倒的盗匪们到底怎样？霍桑又怎样脱险的？那都是我急欲解释的疑问。我真觉得困惑万分。

那看护女子忽问道："你不是觉得痛楚吗？"

我知道伊必因见了我忧郁的面容才发此问。

我答道："不痛，但口渴得很。"

伊点了点头，便轻步走出室去。我闭了一会儿眼睛，又见伊取了一只杯子进来，扶着我的头饮了几口。

伊又问道："舒服些吗？"

我觉得伊那么体贴，心里很感激。看护的职司，果真应当女子做的。记得我前次患病进某医院时，那个男子看护的一种冷漠而不耐烦的印象，至今还留在我的脑中，比较这女子的温婉体贴，真是霄壤相差了。

我也含笑应道："好得多了。"

伊又道："那么，下面有一位姓俞的客人要来见你，可要请他上来？"伊取出一张名片来给我瞧，原来是俞守诚。

我默思他来有什么事，不是要向我讨慧宝吗？即使不至如此，但他老年丧失了一个独子，那种悲惨的形状，我也忍受不住。

我回答道："我很怕烦。请你替我回绝了吧。"

伊就答应着出去。我怕他直闯进来，弄得彼此难堪，心中还惴惴不安。约莫有五分钟的工夫，伊进来回复，来客已经去了，我才觉安心。

我向伊说道："你不必在这里伺候。我要静睡一会儿。"

伊果然应命出去。

我一合眼睛，那失败的景象，忽又一幕一幕在我的脑室中涌现出来。我正在反复不宁的时候，忽闻得室门轻轻开了。我张眼一瞧，见进来的是霍桑。他正在偷偷摸摸地走进来。

他一见我，便笑嘻嘻地说："咦，你没有睡着。现在觉得怎么样？"

我欢喜地答道："你来得正好，我身体上还没有什么，精神上却很不适意。"

霍桑道："怎样不适？你因此才回绝俞守诚的吗？"

我的脸上热炙了一阵，答道："你见过他了吗？他说些什么？"

"他是来问候你的，昨天晚上他已来过一次了。"

"问候我？"

"是啊，他感激你的功劳，才来——"

我突然接口道："你还开玩笑——"

霍桑的面容很庄肃，答道："谁说笑话？你为着救他的儿子受了伤，怎么叫人不感激你？"

我大声道："救了他的儿子？他可知道慧宝现在怎么样？"

霍桑点头道："怎么不知道？他们俩早会面过了。"

我惊异道："这话怎么讲？你说的'他们俩'，到底谁呀？"

霍桑道："自然就是那个俞守诚和他的儿子慧宝。"

我不禁直坐起来："当真？慧宝没有死吗？"

我因着这过分的惊喜，突然坐起，震动了伤肩，觉得一阵子酸痛。

霍桑忙重新扶我睡下，说道："你别这样，等我把今天十一月二十一日的新闻，读一节给你听。"他就从衣袋中取出一卷报纸来，拣了一张，念道："你瞧，这是标题'东方华生的奇功'。"

他又朗读念道："前报所记俞慧宝的失踪，现已查明被五福盗党所掳，藏在黄浦江中的小轮上。昨日午后，大侦探霍桑和他的助手包朗，亲自上盗船去，将盗首毛狮子和余党十余人，都生生擒住；并将俞慧宝安然救出。此次捕获大帮盗匪，包朗君躬冒艰险，出力独多，竟被盗匪击伤左肩，已就近送往博爱医院去医治。包君急公好义，任事勇敢，真不愧是霍桑君唯一助手。他此番冒险成功，为社会除一恐怖，尤其可敬。详细情形，等探明再登。"

我听了又一阵面红，诧异道："他们真是过甚其词了。但昨晚的事，奇怪极了。我明明见一个孩子，被贼匪打破脑壳而死，怎么竟会变幻——"

霍桑笑道："你的话不错，打死的只是一个孩子，却不是慧宝。"

"那么，船上难道有两个孩子？"

"是啊，我起先也没有想到。"

"现在你已知道了吗？"

"我昨天晚上就知道了。"

"那是谁家的孩子？可是盗匪的孩子？那就死得不冤枉了。"

霍桑摇头道："不是，那是私贩麻醉品的郝才生的儿子，名叫郝奇珍。"

我道："难道也是被盗匪掳上船去的吗？"

霍桑点点头，又拿出一张报纸，指一节新闻给我瞧。

那新闻道：

富商郝才生君的少君奇珍，本在国民学校读书，昨日傍晚，忽然走失，事发后报警寻访，毫无踪影。郝君是上海社会的闻人，近年营业上颇称得利。因此，据一般人猜测，或者有人垂涎他的多金，故意劫取他的儿子，为勒赎地步。这不过一种揣测，实际上尚未证实。但郝君在两日前刚往沈阳去了。此事发生后，他家人已四处拍电催他回来，以便料理一切云。

一网打尽

我读完了这节新闻，疑障已揭开了一层。我说道："唉，这新闻我好像见过的。"

霍桑道:"这本是本月十六日的旧新闻纸。并且在十八日俞慧宝失踪的新闻上,又曾把郝奇珍的失踪提过一提。你当然不会完全忘怀。"

我答道:"是啊,那俞守诚给我们瞧的一节新闻,我记得标题是'再接再厉的小儿失踪案'。那'再接再厉'的字样,已足以显见小儿的失踪,慧宝不是第一个了。可是当时我只注意在俞慧宝身上,没有顾到郝奇珍,更想不到郝奇珍也被盗匪掳在同一只船上。"

霍桑道:"那也怪不得你,连我也没有想到。直到昨晚我缚好了众匪,听得船头上枪声,赶到舱里,已见你倒在一个死孩的旁边。你对面的角里,也躺着一个死盗,一手握着手枪,一手还紧紧拉住俞慧宝的衣裳。我才知道舱里面有两个孩子。"

我问道:"那时你就知道死的一个便叫郝奇珍吗?"

霍桑道:"正是,我一看见二孩,便想起前次郝奇珍的新闻。我又记得上船时毛狮子疑我姓'郝',显见除了我们以外,另有成约,他正等待有人去接洽。我因此才知道那二孩中必是一个姓俞,一个姓郝了。"

我听了这句,无意中又打破了一个疑阵。原来当时毛狮子所问的是"郝",我却误听作"霍",因而曾吃过一番虚惊。

我又问道:"你可曾向俞慧宝问过话?"

霍桑点头道:"问过的。我既然知道慧宝没死,那死的一个显然就是郝奇珍。据慧宝说,那个监守的匪徒,一听得外面枪声,便摸出手枪来禁止他们两个孩子声张。等到你踏进舱去,叫唤慧宝,那人一手把慧宝拉住,奇珍却逃向你那边来。同时那人开了两枪,打中了奇珍和你。你也回了一枪,也同样打中那恶徒的心窝。但你那一枪很险，如果再低一些，就要误中慧宝了。"

我惊骇道："唉，那一枪我原是随意放的。这样看来，这里面不是人力，实是有神的制裁哩！"

霍桑点点头，却不答话。

我又说："以后你又怎么样呢？"

霍桑道："我既把慧宝领出，恰巧郝家的汽船到来，我就把你和慧宝送入汽船，后来又取了郝奇珍的尸体一同载着登岸。郝才生本遵守了盗匪的约，备着五万元的款子，到船上去赎他儿子的，却不料……"

我不禁插嘴道："那汽船就是郝才生的吗？唉，我却误会了，竟向他们开了两枪。"

霍桑道："那两枪他们还以为是盗匪开的哩。但郝才生爱儿心切，既然从沈阳赶了回来，到底冒险驶近了轮船。我也幸亏他们接应。否则我和慧宝也许还没法登岸呢。"

"你不是说有水警们接应的吗？"

"他们等了许久，直到断黑，不见动静，便以为我们失约，就也散去了。我登岸以后，打电话给水警们，叫他们去看管轮船和收拾醉蒙的盗党，他们才说明情由。"

"现在那一班匪徒都拿住了吗？"

"这一次被你打死了两个，余外十四个强徒，都已关在水警厅里。他们已往的罪史既很可怕，谅必都没有性命活了。"

"怎么一共有十六个呢？还有那个上岸去送信补领一万元的人，可是一并计算在里面吗？"

"不是，他却单独在岸上的警察署里。这也是我预先安排好的。你记得我临走时，和施桂说过几句话吗？"

"当然记得。"

"我叫他等我们动身以后,可打电话给俞守诚,如果有什么传信的人到俞家去,应当设法将他留住,等我去发落。我所以要等我们动身以后,才通知守诚,就因他太胆小了,不使他有阻止我的机会,只有依从的一法。因此,等到我成功登岸,那个党伙还在俞家里等一万元呢。"

我道:"那么,一万元当然没有补给他了。"

"那自然,就是我给毛狮子的一万,此刻也已变作我们酬劳费了。"

我带些疑问的声调,问道:"这酬劳是俞守诚给你的吗?还是你自己——"

霍桑笑道:"你真笑话。我本将一万元原数还他,他却坚持要把全数作酬。我再三推辞,只得受了半数,把半数移捐了平民工厂里去。他还说过一天再要谢我。你怎么当真疑心我自己专擅,或从中扣留呀?"

我也笑道:"你昨天的态度也太含糊了。但守诚的钱,从贸易上得来,你就是多受些,也不妨事。若使换了郝才生的酬金,既从那害人的勾当上沾润而来,钱孔中不免带着血腥,我们便不好受了。"

霍桑点头道:"是啊,但你的疑团既明,此刻也应当略略休息。别的问题,改一日再谈吧。"

我说了一会儿话,果然觉得有些气急疲乏,但还有几个疑团梗住在胸中,一时还不愿停止谈话。

我努力说道:"我此刻没有什么痛苦;况且听了这胜利的消息,我精神上的烦闷,非但消归乌有,而且振作得多了。你再坐一会儿,把其余的两个疑点,一并解释了吧。"

霍桑笑道:"我知道你这性急的脾气,到底不肯改的。你说吧，还有什么疑点？"

我道："那个江南燕，可有什么消息——这不是一个大疑点吗？"

霍桑道："唔，不错，不过我也没有确实的消息。我只知道昨天我们离寓以后，有一个人到寓里去寻找我，被施桂托词回绝了。那人笑了一笑便去。我料那人大概就是江南燕。"

"你想他到底和那些匪党有没有关系？"

"这也难说。但据我推测，他绝不是党匪的同志。"

"那么，他又为什么干涉我们？"

"也许果真是出于忠告。"

我沉默了一会儿，又道："还有一个较小的疑点就是你方才说，除了两个人打死外，还捉住了十四个，一共竟有十六个。我却记得中舱里九个，两个监守我们的，两个厨子，合成十三个，又加上船头上一个巡逻和头舱里打死奇珍的一人，一共也只有十五个。你怎么说十六个呢？"

霍桑道："这果然是一个疑问。我临走时曾经数过，也觉得只有十五个。但后来据水警厅报告，明明说十六个；并且说船上除了两个死盗，其余十四个都是捆扎好的。"

我疑惑地说："那真奇了！怎么会多出一个来呢？"

霍桑低垂着头，似乎也在竭力思索，想要找一个答案。

"若说多捉住一个，原也不算稀奇，因为他们的同党，断不止此数，也许有人从岸上回船，或是那个舢板上的同党偶然上船，就此一并被捕。那都是可能的。我认为奇怪的，却是在那船上的十四个人，都是预先捆扎好的。但世间断没有自己缚自己而等人家来捉的强徒啊！那真是有些不可思议了！"

我果然又想起那个摇舢板的党徒，因说道："那个摇舢板的望风，你可曾知道他的下落？"

霍桑道："没有。他当你在船上开枪争斗的时候，既然不曾来暗助他的同党，大概他早已闻风避开去了。"

我又道："那么，这个多出来的一人，究竟从哪里出来——"

那看护女子忽又轻轻地开门进来，手中托着一杯牛乳，走近我的榻前来。

伊向霍桑道："霍先生，有电话呢。"

霍桑应声出去。伊就将牛乳给我。我刚巧饮完，霍桑已匆匆地进来。

他大声说："包朗，你的最后的疑团也有解决了。"

"什么？"

"那个多出来的一人，已有了来历。"

"怎么样来的？"

"那人就是舢板上的同党，却被江南燕缚送上船的。"

我又诧异道："这真出我意外。他怎么有此一举？"

霍桑解说道："他说他起先给我忠告，真是一片诚意。他知道毛狮子党的凶残的历史，不容易对付，所以用电话劝阻我们。后来他探知了我们上船的真情，便也赶到杨树浦去，预备助我们一臂。他上了舢板，打探明白，就把那摇舢板的缚着。后来他估量我们进行顺利，他就也在舢板中伏着，不显露真相。直到我们乘了汽船登岸，他才把那个把风的党人送上船去。因此水警们上去的时候，便多得一人了。"

我恍然道："原来如此。他此刻打电话告诉你的吗？"

霍桑摇头道："不是，打电话的是施桂。江南燕特地寄了一封信在我们寓里，说明了经过的情由。我教施桂拆开了读给我听的。"

我沉吟了一下，又道："这样看来，这一件事倒难为他了。我们若能知道他的住址，也应当答一封谢信才是。对不对？"

霍桑微笑道："这却不必。他早已得到酬劳费了。"

我问道："果真？谁给他的？可是俞守诚？"

霍桑道："不是，据他自己说，那是我们玉成他的。所以那信上还有致谢我们的说话。"

我又疑惑起来："这话有什么意思？莫非他——"

霍桑突然接口，笑道："正是，他上了五福船以后，就奉行他的故事。那船上储积的赎命钱本来不少。他得此机缘，不消说满载而归了。"

我也不禁笑出来道："噢！他真是不凡。我们舍身冒险，却到底成全了他。他还给我们吃了一个谜团！他真是不凡啊！"

霍桑的面容，忽然变得很庄重，低声说道："包朗，你别这样子兴奋了。方才何医生告诉我，你的伤肩至少须两个星期才能痊愈。在这一星期中，你应得好好地静养。你须知以后我们的事正多着哩！"

我仰起头来注视着他，一时不知道那话的含义。

霍桑又道："你想我们这一次虽然网住了这许多大鱼，但漏网的一定还不少。他们岂肯和我们干休？因此，我们也得事先准备。现在你且睡一会儿，停会儿我再来瞧你。"

我点了点头，不再留他，就目送他走出病室。我细玩着霍桑最后的一句预言，的确非常严重。不料不多几时，他的话果真应验，我的日记册又增添了一页骇人的记录——那就是我所发表的"五福党"。

恐怖的活剧

电影院中

这天晚上我们一同在大上海电影院里，霍桑为了我的缘故，特地陪我去看那一场充满着民族意识的悲壮紧张的《为国牺牲》。

银幕上正映着大队军队的出发，整齐严肃的队伍，揹着装配刺刀的枪，继续地前进，前面军乐队奏着壮烈铿锵的进行曲。繁音促节之中，夹杂着"踏踏踏踏"的步伐声，铁骑声，显得非常雄壮而威武。我的情绪禁不住紧张起来。我想到这班人正着群众的生命而慷慨赴难，去跟侵略的恶魔厮杀，精神多么壮烈！我的胸口仿佛压着重物，呼吸也越加短促，热泪也禁不住流下来了。

这时我猛觉得有人拉着我的手臂，我敛一敛神，才知是老友霍桑。我一时不知道他的用意。莫非他见我流泪，以为值不得认假作真，因此便借此止住我？但当我回过头来时，瞧得出霍桑正伸长了头颈，侧耳向着院座的入口处倾听什么。我也注意一听，那里果然有一种喧哝纷扰的声浪，显见有什么人在那里口角。同时有几个近门口的看客，也都先先后后地立起来，院场的秩序已开始略略有些紊乱。

我因附耳向霍桑道："随他们去闹，我们何必管什么闲事？你瞧那一幕——"

霍桑忽低低地喊道："你听那声音，像是施桂啊。"他说了一句，便离座而起，匆匆地走向院门口去。

我也不禁诧异起来。那喧哓的人果真就是我们的仆人施桂！施桂到这里来做什么？我们出来的时候，明明叫他守在寓里，当然不会也为着瞧电影来的。那么，莫非有什么紧急的事情发生，他特地来报信的？

霍桑忽已回进来，低声向我道："真是施桂。他来找我们的，被那守门的挡着，因此便吵起来。"

我道："他可是来报告什么惊人的凶案？"

霍桑道："他虽没有说明，大概总是一件很紧急的事。我们快走吧。"

我不禁有些踌躇，这一出《为国牺牲》电影，霍桑本已瞧过一遍了，半途停止，原不打紧。我却还第一次瞧，此刻正瞧得出神，忽然丢掉，实在觉得舍不得。

霍桑似已料到我的心事，说道："快走吧，你如果舍不得这一出戏，明天我再陪你来瞧。"我没有话说，只得跟着他一同走出戏院，但到了门口，却不见施桂。

我问道："施桂在哪里？"

霍桑答道："他已回去了。你瞧，电车来了，我们快上去。"

我也身不由己地随着他跳上电车，坐定以后，见霍桑买的是卡德路站的车票。

我又问道："我们可是回去？"

霍桑摇摇头说："不，我们往新闻路安庆里东一巷，第四家，九十九号去。"

我道："这可是发案的人家？"

霍桑点点头，随手从衣袋中摸出白金龙来，分了一支给我，又擦着火彼此烧着。

我一边吸着烟，一边又问他说："到底是怎么一回事？"

霍桑的情绪似乎相当的紧张，不愿意多说，又利用了摇头的动作，表示了他的答复。

我仍认为不满，又问道："施桂怎么不说一个明白？"

霍桑吐了一口烟，才勉强答道："施桂说方才安庆里九十九号里的主人向玉书打电话来找我们。施桂告诉他我们看电影去了，那向玉书便说这是一件有性命出入的事，不能够耽搁，所以特地叫施桂来找我们。"

我道："那么，这大概又是一件谋杀案件吧？你想是吗？"

霍桑摇摇头道："这叫我何从说起？我们不如静坐一会儿到那里瞧吧。"

一声枪响

我们走到安庆里弄口的时候，霍桑摸出表来，在电灯光中瞧了一瞧，已经是十一点钟了。我们走进总巷，还没有到东一巷口，猛听得一种异声。

"砰！"

我不禁失声道："不是枪声吗？"

霍桑也陡然停了脚步，又拉住我的手臂，附耳禁止我：

"别作声！"

他的脚只略停一停，便突然三脚两步地跳到了东巷口。他又立定了，偻着身子，靠着墙角做窥探的姿势。我踏过去一瞧，巷中有一盏光力暗淡的电灯。灯光中却不见一个人影。

霍桑低声诧异说："我明明觉得那声音是从这巷中发出来

的啊。"

我道："你瞧这条支巷的那一端，不是也通的吗？"

霍桑果真急急向支巷的那一端奔去。那里还有一条侧巷，可以直达马路。我向侧巷的两面一瞧，侧弄中几个后户，都紧闭着，也不见一个人影。

我们重新回进东面巷中。我一瞧巷中共有四宅两上两下的石库门，都静悄悄地关着门。这时我们从侧巷里回进了第一家，就是从总巷中进来的第四家。

霍桑瞧瞧门牌，向我说："九十九号，就是这一家了。"

他在石库门上叩了两下，却没有声音，又叩了两下，依然没有人答应。霍桑有些不耐，用手在门上一推，竟"呀"的一声推开了。

"哎哟！"

这惨厉而含恐怖的骇呼声刺进了我的耳朵，禁不住毛发都竖了起来。霍桑的一足已跨进了门，一听得这呼声，便也缩住了不进去。

那声音似乎是一个女子喊的，就从那厢房中透出来。霍桑等了一等，没有动作，便重新推进门去，一脚跨到客堂。客堂中黑暗没人，但东厢房中却有灯光透露。

东厢房中的电灯也突然熄灭了！

霍桑走到东厢房的门口，伸手去握门钮，竟转旋不动，似乎里面有人把持着。霍桑默不作声，只用力掀那门钮，室中人分明也在尽力抵抗。我想要帮忙，却无从下手。

"妈——妈！"

里面的骇呼声又发作了！这声音很近，越发锐利刺耳，好像就是那个在里面把持室门的女人喊的。

我忙道:"唉!伊大概误会了。"

霍桑果然高声喊道:"你别害怕,我是私家侦探,你家向玉书先生请我来的。"

那门钮果然松动了。我们乘势推进门去,里面仍是黑漆漆的,一时瞧不见什么。

霍桑道:"请把电灯开了,我们好讲话。"经过了一分钟难堪的沉默,我又听得一声啪,灯光果然恢复了。我的眼睛前起了一阵子金花。我定一定神,才见室门背后立着两个女子,年纪都在二十上下,面貌都很美,身上的打扮也很摩登。这时她们的脸色灰白,浑身都瑟瑟地颤个不停。

霍桑温慰地说:"你们定一定神,不用害怕。我是霍桑,这一位是我的朋友包朗——你们遭了什么事?"

那两个少女的恐怖心似乎减少了几分,但仍说不出话。

霍桑的眼光一转,忽又骇异道:"唉,这是谁?"

我回头一瞧,见厢房中的写字桌旁,有一个中年男子直僵僵地躺在地上。那人穿着蓝绸袍子,有四十多岁。脸形带些长方,唇角上留着黑须,右额角上却有一摊血迹。那两个女子中身材较高的一个,勉强挣扎着,缓缓地走过来,一双敏活的黑眼向我们俩瞟了一眼。

伊颤着声音答道:"霍先生,那是我们的爸爸。他在一刻钟前被人打倒的!"

霍桑怔了一怔,答道:"那是向玉书先生吗?可惜我们来得迟了一些了。"

他忙走到那倒地的人的身旁,先把耳朵凑在那人的胸膛前听了一听,就用力将他抱了起来,放在一张软垫的长椅上面。霍桑又向自己的衣袋中一摸,接着又皱一皱眉头。我知道他想

到检验时应用的器具了，但我们才从影戏院中来，身上当然没有携带。

我提议说："可要请医生？"

霍桑急忙点点头："好，他还有呼吸。你快打一个电话，请一位就近的医生来。"

我答应着，立刻走到书桌旁的电话箱前，拨了一个号码，请我们熟识的张济民西医。我一面等接电话，一面才趁机瞧瞧那地上的人。他穿着一件蓝绸袍子，丝袜缎鞋，分明是一个体面的商人。我又重新细瞧那两个女子。一个身材略略高些，穿一件黑白相间的阔条纹闪缎旗袍，丰腴的圆脸，配着一双黑目，两条细眉，确乎很美。还有较矮的一个，脸型略略瘦削，眼睛也灵活动人，穿的一件紫红花绸的旗袍，袖子特短，露着两条白嫩的臂膊。

一会儿，那张济民医生接通了电话，答应马上来。我正想离开书桌，忽见桌上砚台底下，压着一张纸条，上面的字迹是铅笔写的，非常潦草和拙劣，好像画符似的，瞧不出字画。不禁引起了我注意，伸手把纸条拿起来，仔细一瞧，才辨出那几个字：

今晚我要来见你，请你少待。

我暗想这纸条似乎很有关系，不可不教霍桑知道。我因取了纸条回到霍桑那里。霍桑正向那较矮的一个女子问话，我不便马上插口，就立在旁边静听。

那女子道："那时候我正想上床，忽听得爸爸喊了一声'哎哟'，我十分诧异，慌忙走下楼来。我在楼梯上时，又听得碎玻璃的声音，接着又有砰的一声，仿佛是手枪。等我赶到这里，爸爸已倒在地上，那时我抬起头来，我——我——"

霍桑接嘴道："你可曾瞧见什么？"

那女子期期然答道："没有，我没有瞧见什么人。我只见那玻璃窗已经被击碎，似乎有个凶手从窗中发枪进来。唉，我吓得什么似的，便骇叫了一声，那时伊也已赶下楼来。"伊说时，用手指一指那身高的一个女子。

后来我们知道她们俩是同胞的姊妹，身材较高的一个，年纪才二十岁，名叫秀芳，矮的一个小一岁，名叫丽芳。

这时丽芳继续道："我们两个毫无主意，只靠着桌子发抖，同时我又听得敲门的声音，我们还以为是那个凶手，越发害怕起来。秀芳就熄了电灯，我也赶紧把持了门钮，直等到先生说明了来历，我才敢放手。"

那身高的秀芳忽高声呼道："丽芳，妈也下楼来哩。"

我回过头去，看见一个半老妇人，一步一颤地扶着一个小使女走近来。伊满面现着恐怖的神色，伊身上的一件玄色绲的身高袍也不整齐，纽子都没有扣好，似乎刚从被窝中起来。伊站住了，张着两眼东张西望，终于瞧见了躺在长椅上的丈夫，便不由得放声大哭。

霍桑忙走近去摇摇手，低声劝慰道："夫人，你姑且别哭。向先生不像有什么致命伤，大概还有救。你一哭，也许反而会坏事！——唉！你听，大门开了，大概是医生来了吧？我请两位女士将令堂暂且扶上楼去，等医生检验了再说。"

那秀芳丽芳姊妹俩，果然依着霍桑的意思，硬拉着她们的母亲上楼去。这时那张济民医生已提了皮箧踱进来了。

窗外的人面

霍桑和张医生说了几句，那医生并不说话，赶紧打开皮
箧，拿出应用的器械来。他走到长椅旁边，俯身下去，在向玉
书的身上仔细诊察。霍桑的眼光在四处活动，忽然俯着身子，
似乎从地板上拾取什么东西。我凑近去一瞧，见他从墙脚旁拾
起了一个簇新的小蜡人和一只洋铅做的翠红色的雀儿，那都是
儿童的玩具。霍桑把这两件东西瞧了一瞧，顺手放在桌上。

他低声道："他们还有小孩子哩。"我点点头，因思这时正
好落空，我在书桌上所发现的纸条，应当告诉他了。我拉拉他
的衣袖，便回身走到客堂里去，顺手将电灯的机钮扳亮了。霍
桑跟了出来，反身把东厢房门关上，似乎知道我有什么秘密的
话说。我就将那纸条授给他，他细细一辨，不禁连连点头。

他道："这纸上的字迹果然是假装的。你从哪里得来的？"

我告诉了他这字的来历。

他的目光定了一定，说道："这倒是一个疑团。我们先应
得问一问这屋子里的人，有没有见过一张纸。"

"这有什么意思？"

"如果有人见过，或者有人能够证明这纸条不是今天来的，
就可知它和今晚的凶案无关，否则，却有些难解释了。"

"何以见得难解？"

"我先问问你，你对于这张纸有什么见解？"

"我看那一定是凶手预先寄给向玉书的，以使向玉书在家
守候，他可以乘机实施他的凶谋！"

霍桑摇摇头道："我却不以为然。"

我疑惑道："你不赞成？你有什么理由？"

霍桑轻声道："我以为那人如果只为谋命起见，尽可以乘间行刺，何必多此一举，反而使向玉书能够预先防备？换一个方向看，若使他约会的目的，并不在直截行凶，那么，他为什么不先进来谈判，竟直接从窗口中行凶？这两层理由，岂不是互相冲突而难解释吗？"

我果觉得一时难以回答，便略一沉吟。

我又道："那么，你有怎么样的意见？你莫非以为写字的人和行凶的人，不是一个人吗？"

霍桑还没有回答，我忽见一个穿黑纺绸短衫裤的中年男子，气喘喘地推门进来。这人一瞧见我们突停了脚步，圆睁着双目，向我们俩呆瞧。

他发问道："唉，先生们不是住在爱文路七十七号里……"

霍桑忙接口道："是啊！你是谁？"

那人道："我叫阿六，是这里的当差。我刚才从你们府上回来。我家主人着急好久哩。他打了电话不算，特地再差我去请先生们的。你们已经见过他没有？"他说着便回身要去推东厢房的门。

霍桑伸出一手阻止着他，说道："慢些进去。"

这时我听得厢房里面有女子声音，知道那丽芳已重新下楼。阿六仍呆瞧着霍桑，似很诧异，霍桑突然说道："你家主人已经被人谋死了，你还不知道吗？"他把锐利的目光注射在阿六脸上。

阿六震了一震，骇问道："当真吗？"接着他又点点头，显出领悟的状态，喃喃地自言自语道："唉，果真如此！他——"

霍桑立刻插口道："哼，你主人的死，你不是早已知道了吗？"

阿六两眼睁着，厚厚的嘴唇不自主地张了开来，一时不即回答。

霍桑道："你快些说你主人的被害，你一定知道些内情。你的状态早告诉我了。"

阿六听说，举起手背，抹了抹嘴，回头向厢房门望了一望。他低声道："先生，你要我说，我也不妨说明，只怕被太太知道，又要怪我多嘴。"

霍桑道："你尽说，太太怪你，由我负责。"

阿六凑近一些，发出一种很低的声音道："先生，你说我家主人已经被人谋死，那行凶的人我知道的，就是——"

"是谁？"

"是——是侄少爷——主人的内侄杜洪生！"

我一听心里砰地一跳，暗想这件事有些线索了。

霍桑忙道："你怎样知道的？"

阿六道："今天午后侄少爷也来过的。他来时一向不为别的事，老是借钱。"

"唔！这侄少爷做什么生意的？"

"他不做生意，还在什么大学里读书，可是玩意儿真大，什么跳舞哩，赌钱哩，竟是件件精通！"

霍桑微笑着说："精通尽管精通，输钱还是一样。对不对？"

阿六忽连连点头道："对，对，对。他今天来，也就说这几天赌输了，要向主人借两百块钱。主人不但不借，还着实把他申斥了几句。侄少爷恼羞成怒，竟和主人翻起脸来，大家便口角了一场。侄少爷临走时还说过一句：'好，我给你瞧颜色！'"

我不禁叹了一口气，一个受高等教育的青年，竟会如此腐化！

霍桑又问道："这事以后，又怎么样？"

阿六道："他去了不久，就写了一封信来。我主人晚上回来时，一看见那信，便害怕起来。他知道侄少爷是进过什么帮的，不容易对付——"

霍桑插口问道："他写过一封信来吗？"

阿六道："正是，那信还是我接进来的。"

"那信可是侄少爷亲手交给你的？"

"不是，由一个苦力模样的人送来的。"

"那么，你怎么会知道这是你家侄少爷写的？"

"我起初还不知是他写的，后来主人拆开来一瞧，才告诉我是侄少爷写的。"

霍桑急忙道："唉，你主人告诉你是侄少爷写的吗？"

阿六道："正是，主人亲口这样说的。"

"你既然见过那信，可记得信上说些什么？"

"我不识字，只记得信纸上没有几个字。"

霍桑突然把团在手中的纸条展开来给他瞧。

"可是这一张？"

"正是，正是。唉！这一张纸，方才我主人差不多当作催命符一般呢！"

霍桑向我瞅了一眼，似乎告诉我，这纸条的来历幸而明白了。

他接着问道："以后怎么样？"

阿六道："主人害怕了，就打电话请你们二位。他听说先生们出门去了，便叫我留在厢房里陪他。我知道他心中怀着鬼胎，只怕侄少爷来和他作难。他等了一会儿，好似忍耐不住，就再差我到你们府上去相请。我就出去，以后，这里的情形怎样，我不知道了。"

这时，我忽听得秀芳在楼窗上叫喊：

"阿六，太太叫你上楼来。"

接着我果然又听得那老妇人的呼声：

"阿六，你在那里嚼什么舌根呀？"

阿六扮着鬼脸，惶然道："不好了！先生，你千万别说我说的啊。"他说完了便慌忙奔上楼去。

霍桑又回身走进厢房。我跟了进去，看见张医生正弯着腰用手在向玉书的胸口抚摩着。丽芳跪在旁边，脸上的灰色已减退了几分，眼睛里也含着有希望的意思。伊见我们进去，就立起身来走近我们。

伊轻声道："据张医生说，爸爸有希望了。先生们如果有事，不妨先回去，明天爸爸醒来，再登门道谢。"

张济民医生也挺直了身子，低声道："向小姐，请你过来，照这样给你爸爸抚摩，让我休息一会儿。"

丽芳答应了，便回到伊的父亲面前去，依言抚摩。

张医生向霍桑道："他并不是枪伤，只是惊晕罢了。"

霍桑点头道："方才我也疑心他如此，但我没有带检验的东西，不能动手，所以只等你来。他的额角上的血渍是什么东西？"

张济民道："这不过擦伤一些浮皮。"

我插口说："那么，我们应当寻一寻那粒枪弹打中在哪里。"我轻轻走到写字桌旁，上下一瞧，绝没有弹伤的痕迹。近窗口的地上，留着许多碎玻璃，窗栓还是扣着，窗的最下面的一块玻璃，既已碎掉，只留着一方空隙，窗外面却还有铁条拦着。

霍桑低声问我道："奇怪，没有弹壳吗？"

我答道："没有。那凶手也许只向空放了一枪，这向玉书却因此受震跌倒。你想会不会这样？"

霍桑还没有回答，那丽芳忽发出惊呼声音：

"唉，你们瞧哪！爸爸的眼睛已在那里动了！"

张医生也欢喜道："是啊，他快要醒了。再等一会儿他自己就能够说话了。"

我也暗暗欢喜，因思这一件案子起初很觉紧张，此刻向玉书既没有死，自然松弛了许多，一等到本人完全苏醒，这一个闷葫芦大概立刻就可以打破，也不劳我们费心了。

我们静默地坐着，张医生又给向玉书饮了第三次药水。丽芳仍在抚摩。一会儿，我果然见向玉书慢慢地醒来。他的呼吸既已逐渐调匀，眼睛也在忽闭忽张。丽芳的脸上虽显着喜色，但伊偶然回过头来瞧见了我们，那喜色便又沉了下去，伊好像不欢喜我们在旁边似的。

那向玉书忽而发声喊道："壮飞！你好！你好！"

这一句在我们觉得莫名其妙的话，对于那丽芳却有严重的反应。伊的脸色霎时间又变成初见时那么的灰白。我想这姓向的所喊的"壮飞"，大概就是他内侄的另一个名字。

霍桑忙低声接口道："向先生，你好些了吗？你且安静着，那壮飞早已去了。"

向玉书仍旧似呓非呓地说："他去了吗？他——他当真去了？唉，你们怎么放他逃走？"

霍桑应道："你放心，他虽走了，我们还可以把他捉住。现在你姑且定一定神，我问你一句话，那个壮飞可就是令内侄？"

向玉书张大了两眼答道："不是！我起先也只防备洪生，

可是来的却不是他，那个行凶的人是李壮飞——就是我……"
他说到这里，一眼瞧见了他的女儿丽芳，忽而咬着牙齿，从齿
缝中迸出一丝怒声来，"你——你——"

那时秀芳也已下楼来。伊向伊的妹妹瞧了一眼，见伊仿佛
要昏晕过去的样子，便走过来扶着。但丽芳似乎还在尽力支
撑，不愿受扶。

秀芳颤声说："爸爸，你别这样说，我相信不会的，绝不
会有这一回事的，这事多么可怖啊！"

我和霍桑张济民医生三个人都站在旁边，看见了这一幕怪
剧，真有些莫名其妙，但因此可以料到这案子的内容并不怎样
单纯，霍桑也默不作声，他的眼睛不住地在这父女三个人脸上
打旋，分明在努力找寻这谜团的钥匙。一会儿，向玉书忽略略
仰起身来，用手搓揉眼睛，神智似乎更加清醒些了。他凝注着
霍桑，对方立即领悟了他的暗示，忙走近一步。

他道："我就是霍桑。"

向玉书急急应道："唉，我等得你好苦！现在我告诉你，
那开枪打我的，就是——就是我不肖女儿丽芳的——所谓朋
友！他住在海宁路福康里二十号。请你快去，快把他拿住了，
别放他逃走。"霍桑还来不及回答，那大女儿秀芳已抢着答
辩："爸爸，你不要弄错了。我——我想他不会如此。"

向玉书指着那窗口，凶狠狠地答道："弄错？他的脸贴近
在窗的铁直棱外面，我瞧得清清楚楚。他戴着黑呢的帽子和玳
瑁边的黑玻璃眼镜，手中执一支雪亮的手枪。我还瞧见他把手
枪伸进窗来！"

霍桑也接嘴说："向先生，你这话关系很大。你所见的印
象，是否有错误，你还得仔细想一想。"

向玉书说："不用想，我瞧得很清楚。"

霍桑点头道："好，那么，我先要请问一句，我闻得你今天曾经和你的内侄口角过，是不是？"

"是的，晚饭过后，我接得了那封信，便也以为是洪生写的，因此特地想请先生，希望你替我警告他一下。因为先生是有名的私家侦探，并且道德高尚，能够保守人家的秘密。我虽然把这事委托，你也不致扬我的家丑。不过现在并不是那回事了。这事不是洪生干的。我在窗口中瞧见的人面，明明是李壮飞！"

"那么，这李壮飞也和你有怨嫌吗？"

"怨嫌！他是一个不长进的编剧，所结交的人，只是一班戏院中的流氓。不知怎的，他竟蛊惑上了我的女儿丽芳。你想象他这样的人，要娶我的女儿丽芳，我怎么能够随便允许？我家虽不是巨阀望族，我也是一个银楼的经理，在商界上总算有些面子。我若把女儿给他，无论算不得门当户对，就是亲戚面上也讲不过去。"

我暗忖这大概又是一件门第之见作祟的勾当。

霍桑道："你的意思，不是以为他求婚不成，因此恨你，便行凶报复？"

向玉书坚决地说："昨天我拒绝了他，他今天就来害我。你想这流氓的心毒不毒？这是当然无疑的。现在请你快去把他拿住了再说！"

秀芳站在伊父亲的背后，向我们努力摇着两手，似乎教我们不要相信。丽芳的神智已恢复了，仰起脸来，望了一望，忽而咬着伊自己的嘴唇，挣扎着脱离伊姐姐的扶持。伊随即倒在椅上，掩着面嘤嘤啜泣。

霍桑呆了一呆，回头向我道："包朗，我们姑且去走一遭再说。"

那时张济民医生还在倾倒药水。霍桑向他点了点头，又和向玉书道别了一声，就引我退出厢房。我们在客堂中取了帽子，正想出去，那秀芳忽追踪出来，拉住了霍桑。

伊低声道："先生，你千万别难为壮飞。爸爸在惊慌之中，也许会瞧错。他的说话算不得数。"

霍桑安慰道："向小姐，请放心。我们去见他，当然要相机而行，绝不会鲁莽从事，你尽管安心。"他鞠了一个躬，我们便出来。我们走到安庆里口，霍桑向停着的黄包车夫招一招手，我们就向海宁路福康里去了。

多嘴的老妈子

在黄包车行进的途中，我便推想这一件案子。照情势而论，那李壮飞求婚不允，因而想乘间行凶，也是可能的事。李壮飞是向玉书次女儿丽芳的情人。如果这事真是壮飞干的，丽芳可知情吗？若说伊也预先同谋，那就关系逆伦，想起来似乎不致如此。但我记得当向玉书说明李壮飞的姓名以前，伊对于我们，似乎有些逐客的意思。好像伊知道伊的父亲一醒，也许要说出真相，那就和伊的本身有关，伊不愿意让我们知道，所以有逐客的表示。这样看来，伊对于李壮飞的举动，又似乎不是完全不知道的。

我又记得伊先和霍桑谈话的时候，伊说到"我抬起头来，我——我——"以后，便格格不吐，后来霍桑问伊瞧见什么，伊便答言没有见什么人，这显然也是一个疑点。就情势上推测，伊那时在窗口中一定会瞧见那个行凶的人的；而且伊所瞧见的不是别人，一定就是伊的情人李壮飞。伊为着要替他掩饰，言语中反而露了马脚。伊又料伊的父亲也必已瞧见那人，故而伊一见他将要苏醒的时候，便想急急打发我们，防我们知道真相。

就这种种疑点上看来，李壮飞怀怨行凶，事实上已有着明显的可能性。但他既要行凶，怎么竟没有打中？并且弹壳也没有一个？莫非他在匆忙中没有瞄准，弹子便落到虚空里去了？

我又推想他的来踪去迹，觉得也很容易明白。他击碎了玻璃，发了一枪之后，便匆匆避进侧巷里去，然后再从侧巷中逃往马路。那时我们从总巷中进去，可惜迟了几秒钟，竟已追踪不及。

我想到这里，又思忖道：那张书桌上砚台底下的纸条，是不是李壮飞写的？如果是的，那又不无矛盾。因为他既要行凶，却又预先写信通告，这未免出乎情理，霍桑先前的辩难，确有充分的理由。那么，这一张纸条大概果真是向玉书的内侄杜洪生写的。如此，我先前向霍桑质疑的假定，写信和行凶出于两人，显见已不谋而合了。

到了海宁路福康里口，我们下车。我虽怀着所推演的疑团，这时候却还不便质问霍桑。我们寻到了二十号门牌，它是一所一上一下的石库门。霍桑叩了一下门，里面便有人答应，开门出来的是一个穿黑布夹袄的老妈子。

霍桑问道："你家主人在家里吗？"

老妈子向我们打量了一会儿，反问道："你找哪一位？"

霍桑道："这里不是有一个姓李的吗？"

老妈子笑道："这里有两个姓李的呢！"

霍桑忙道："可是有一位李壮飞先生？"

老妈子点头道："有的，还有一个叫李雄飞，是他的弟弟。"

"我们要见见壮飞。"

"他们俩都出去了。"

"哪里去了？"

"杭州。"

霍桑呆了一呆，诧异道："他们俩一同去的吗？"

老妈子摇头道："不是。雄飞是昨天动身的，他的哥哥壮飞是今天吃了晚饭才出去。"

"那么，壮飞先生没有到杭州去，只是他弟弟雄飞一个人去的。是吗？"

"正是，我也这样说的啊！"

"好，你说得不错。你可知道壮飞吃过晚饭到哪里去了？"

"这却不知道。"

"他天天晚上出去的吗？"

"这也没有一定，但一出去总要夜半回来。"

霍桑低头想了一想，说道："那么，我们姑且到里面去等他一会儿。你且把门关上。"

那老妈子并不抗拒，我们就走进客堂中去。客堂中电灯亮着，陈设的器具虽简单，却很整洁。壁上挂一张照片，两个面貌相同的少年，分明就是那兄弟二人。

霍桑乘间问道："壮飞的朋友多不多？"

老妇道："多着呢，不但男朋友，还有女朋友，时常到这里来玩的。"

我觉得这老妇也是个多嘴的典型，正中霍桑的心怀。他此刻所以留顿，目的分明不在等候壮飞回来，却就想借此探听老妈子的口气。

霍桑果然又继续问道:"那些男友、女友,你可认识几个?"

老妈子张着眼睛答道:"怎么不认识?有一个向小姐,人最和气,跟我最要好。"

霍桑点头道:"这向小姐常到这里来的吗?"

老妈子用手背抹抹嘴答道:"今天早晨也来过,不过伊今天的神气仿佛有些——"

这时,我猛听得外面大门上小铁环击动的声音。

老妇忙用手掩住了口,低声说道:"唉,壮飞先生回来哩!"伊说完了,便奔出去开门。

这一着倒出我的所料。我和霍桑面面相觑,但也没有说话,只得等待和那人来会面。

李壮飞

不一会儿,一个少年已从大门里进来。他穿着一身藏青哗叽的西装,头上戴一顶黑呢帽子,鼻上架着一副玳瑁边黑色眼镜,身材挺秀,五官位置也很端正,可以称得漂亮。他一见我们,突然在客堂门口立停了。

霍桑微微向他鞠了一个躬,便开口道:"你可就是李壮飞先生?"

那人的脚似乎钉住在阶石上,只向我们呆瞧,并不答话。霍桑倒反客为主起来。

他又说道:"请进来啊。我们坐定了可以谈话。"

那人果然慢吞吞走进客堂,却不就座,只把锐利的眼光向我们端详,分明在竭力辨别我们是什么样人。

霍桑重复道："你是李壮飞先生吗？此刻从哪里来？"

那人才开口道："我是李壮飞。但你们是什么人？我不便答复你的问句。"

霍桑掏出名片来，取了一张给他。他瞧了一瞧，面色顿然变异。

他诧异道："先生，就是大侦探——？"

霍桑忙鞠躬阻止道："不敢，不敢。"

李壮飞道："唉，我有什么事劳先生们枉驾？"

霍桑直截道："我们就为着向家的事情来的。"

李壮飞不由得不倒退了一步，期期然道："向家的事？什么事呀？"

霍桑缓缓答道："你不知道吗？"他的眼光凝注着那少年。

我瞧壮飞的脸上白了一阵，又泛出一阵红色。等了一等，他才答话。

他说道："我不知道啊？到底什么事？"

霍桑便道："你总认识向玉书吧？"

那少年怔了一下，点头道："是的。"

霍桑道："今天晚上向玉书忽被人用手枪行刺。他说行刺的人就是你！"

他的身子震了一震，眼睛中顿时露出骇光。他张开了嘴，一时说不出话。

一会儿，他方始说："唉！是我？这真是怪事！我何曾干过这样的事？"

"他说他亲眼瞧见你的！"

"他这样说的吗？他在诬陷我！唉，霍先生，你是明智的。你既然来了，总要请你替我申一申冤。我可以发誓，我不曾干过这样的事！”

“这也很容易解决的，但你须证明你今天晚上的行踪。你刚才究竟在什么地方？”

李壮飞毫不疑迟地答道：“我八点半从家里出去，一直去瞧影戏，直到此刻才回来。”

霍桑仍瞧着他问道：“你可有什么朋友同去？”

“我一个人去的。”

“在戏院中可曾瞧见过什么认识的人？”

“也没有。”

“在哪一家影戏院里？”

“大上海电影院。”

我一听这句，默思这真凑巧极了。我们今晚也在那里，他如果说谎，当然瞒不过我们。

霍桑又问道：“你在电影院里，可是从开幕到闭幕，没有出来过？”

李壮飞点头道：“正是，我瞧完全的。你瞧，说明书还在这里呢。”他说时，果真摸出一张《为国牺牲》的说明书来。

霍桑仍目不转瞬地瞧着他的脸，不即回答。

李壮飞又道：“霍先生，你如果不相信，我可以说一节说明书中没有的情节给你听。那影戏的结尾有几句道：‘那杀人的魔骑回去了，破碎的世界，已露出一些和平的曙光。但以后的世界，如果人们不抛弃侵略的野心和相互的猜忌，那么，那杀人的魔骑也许重新要来残害我们人类呢。’这一节，我以为是全剧的结晶，说明书中却没有翻译出来。霍先生，你可能相信我？”

霍桑道：“这一节情节果然不错，但还算不得数，也许你昨天瞧的，或者到将近闭幕时方才进去，那就不能解决我们的问题。我要知道的，就是今晚十点至十一点之间，你的踪迹，应当有一个确切的证明。"

李壮飞沉吟了一下，才道："那时候我确实在影戏院里。但影戏的情节既不足凭，教我怎样证明呀？"

霍桑道："你不妨在情节以外，说出些可以做凭证的事来。老实告诉你，我们俩今晚上恰巧也在那里。"

李壮飞急忙应道："先生们也在那里吗？这倒好了。可是我说些什么呀？我真说不出什么以外的事迹。"

我见了他的焦急状态，引起了我的同情，不由自主地提示了一句。

我说道："在十点左右，院中曾发生一件特别事故。你可曾觉得？"

因为当施桂到戏院去通报我们的时候，曾经在戏院门口喧闹过一回，这真是一个给他洗刷的绝妙凭证。可是他皱着双眉想了一会儿，最终也想不出什么。我倒反而为他着急。

他讷讷然答道："我——我没有觉得。"

霍桑仍望着他的面色，停了一停，沉着地说："既然如此，我要请你将衣袋中所有的东西拿出来给我们瞧瞧。"

李壮飞缩紧了身子，变色道："你可是要搜我身上？"

霍桑婉言道："请你原谅，这也为情势所迫，不得不然。"

李壮飞两手摸着裤袋，忽然倒退一步，浑身颤抖起来。

他哽咽道："唉，霍先生，这——这一件事真说不明白了！我——我——"

霍桑用着严肃中仍带些温和的声调，说道："你不必着急，事实的真相，迟早终要清楚的。你如果是聪明的人，只需据实而谈，我们也绝不会妄加人罪，你的左手的裤袋中藏着什么东西？是不是一支手枪？"

李壮飞恐骇的目光闪了几闪，便咬着嘴唇，点一点头。他似乎知道再不能够掩藏了，果然摸出一支黑钢手枪来。

他说道："正是，请先生瞧吧。但我实在没有打过向玉书，我敢立誓的！"

霍桑接过手枪验了一验，说道："这里还存四粒子弹，你已经用过两粒子弹了。你为着什么用的？"他说着，顺手将手枪放在他自己的袋里。

李壮飞道："我没有用过。这枪中本来只装着四颗子弹。"

"你为什么随身带枪？"

"就为着防备有什么拦路的流氓，所以我每逢晚上出去，总把它带在身上。"

"这枪有执照吗？"

"这——这个——"

"你可知道私自藏枪是犯禁的？"

"我并不曾做过犯法的事。"

霍桑低垂了头，把目光移到地板上，似乎在估量他说的话是虚是实。

一会儿，他又抬头问道："那么，你对于向玉书的感情到底怎样？你得说一个明白才好。"

李壮飞直截说道："我对他虽没有好感，却也并没恶感。这里面的实情，先生大概已经知道，我现在也不妨实说。据丽芳今天告诉我，我和丽芳的婚约，伊父亲已经坚决拒绝了。他以为凡和戏剧界有关系的人，都是些游氓无赖，就把我一律看待。我虽失望，但也并不敢怨他，因为在已往演剧的人，确有许多不知自爱的分子。不过他太偏执一些。他不应不分皂白，一概抹煞。我曾告诉丽芳，我们只能缓缓另想他法，以便挽回伊父亲的意志。若说我行凶害他，实在太出乎人情。霍先生，我也受过些教育，至少也懂得是非利害。我即使杀害了他，对于我又有什么益处？"

霍桑似微微点了点头，又道："我还有一个问题，请你原谅。就是你和丽芳的结合，是不是纯粹出于爱情？或是另有其他的成分？"

李壮飞立刻庄重答道："不，当然是爱情！我们的爱情实在是最纯洁高尚的。"

"那么，你们怎样相识的？"

"我曾经编过一个剧本，取名叫《模范女性》，登载在《新月报》上，后来又经上海剧场排演过几次。丽芳看见了，很欣赏它，曾经写信来称赞。我也回书答谢。这就是我们结合的起点。"

"以后伊就常到这里来吗？"

"是的。但这不单是伊，伊的姐姐秀芳也时常来的。"

"唉，秀芳也常来吗？伊可是陪丽芳来的？"

"不一定，有时候伊也会一个人来。"

"唔，伊来干什么？"

那少年忽沉下了脸，踌躇道："我——我也不知道。伊来也没有什么事——只是来玩玩的。"

霍桑注目着他，又问道："莫非你和秀芳也有些关系？"

李壮飞忽声色俱厉地插口道："不，霍先生，你不要误会，我不是这种人。秀芳到这里来，是伊的自由，原也算不得什么。在这个时代，男女的交际来往，已不能算是一件非礼的事。我想霍先生你也总应许吧。"

霍桑点头道:"若使是正当的交际,当然是应许的。你不是还有一个令弟吗?"

李壮飞应道:"是的。雄飞昨天已经动身往杭州去,就职《江民报》的编辑职务。"

"他也和家姊妹们相识吗?"

"若说见面,他们固然也曾见过好几次,但先生若疑他们有什么恋爱关系,我敢说绝没有的。"

霍桑微笑答道:"我并不曾疑到这层,只是随意问问。"他伸了一伸腰,取出表来瞧瞧,又说:"一点钟了,我们要回去了。你也不妨安静一些。明天再见。"

他说完了,便取了帽子,和我一同退出。走到巷口,我们就雇车回爱文路寓所。

烦恼之夜

这次的谈话到底有没有结果,我很想向霍桑质问一下。可是我们回到寓所以后,我瞧见霍桑的神情似乎很不安宁。因他一走进办公室里,打了一个呵欠,便回头对我说:"包朗,我的心绪很乱,请你不要和我交谈。你先去安睡吧。"

我一听这句,暗想霍桑真是厉害,他已看穿我的心事,故而先来一个金钟罩,教我不好开口。但他的古怪脾气,我素来知道的。假使这时候我勉强和他谈话,那我就会犯"不识趣"的错误。我就淡淡地应了一句,回身上楼。我刚走完了楼梯,忽听得下面电话的铃声震动。我禁不住立定了悄悄地偷听几句。

霍桑说道："向先生，你好些吗？……我已见过他了，现在已派人把他看守着。别的事我明天来报告吧。"

一会儿，电话已经挂断，我也轻轻回到卧室里去。

我这时虽然想要安睡，但脑室中的纷乱的思绪，仿佛筑了一个坚固的堡垒，再也不能让睡魔侵入。我烧着一支纸烟，开了一扇窗，坐在一只安乐椅上，合着眼睛，想把那纷乱的思绪整理一下。

从一方面看，李壮飞确有行凶的嫌疑。譬如他求婚不允，事已证实。今晚十点左右，他又不能确切证明他的踪迹，因为那时电影院中闹过一阵乱子，他虽说同在院中，却不能说出这一个吵闹情形。况且他身上又有手枪，枪中又空了两粒子弹。此外向玉书所说的黑呢帽子和玳瑁边黑色眼镜，又两相符合，这也是他有行凶可能的疑点。

但从另一方面看，他既已行凶，他的神色，怎么能这样从容不迫？霍桑对他，怎么也保持相当的礼貌？并且，如果他是真凶，霍桑和他问话之后，为什么不把他立刻拿住？这样一想，似乎他又不像是真正的凶手。

我又想起霍桑方才问过他的弟弟雄飞。难道雄飞和此案也有关系？不过从事实上看来，空洞洞毫无实际，又未免推想太远。除此以外，还有那个向玉书的内侄杜洪生，他因为借贷不遂，起了坏意，或有可能。可是向玉书明明瞧见那凶人的相貌，恰肖那李壮飞。洪生如果行凶，莫非他也知道李壮飞求婚不允的事，因此就假扮了李壮飞的相貌，准备作卸罪地步？如果这样，我们就不能把他轻轻放过。不知霍桑此刻也已想到这层了吗？

这时，我忽听得楼下提琴声悠悠扬扬地送入耳朵。我知道霍桑又在那里弄那玩意儿了。他每逢思绪郁结不解的时候，总要弹弄一会儿，借此宁一宁神，以便从那乱丝中理几个头绪出来。这原是他的老习惯。可见他对于这一件案子也正觉得棘手，一时还没有把握哩。

不多一刻，琴声忽然停止。我又听得他在办公室中踱来踱去的步声。接着步声也停止了。我又听得砰的一声，似乎是关门的声响。

我不禁惊讶起来。难道这样夜深，霍桑还出去吗？我仔细一听，办公室中的声息果然完全沉寂了。我因立起来丢了残烟，走下楼梯，向办公室中一望，电灯依旧亮着，却已不见霍桑的踪影。

他果真出去了，他往哪里去呢？莫非他已想得了那个真凶，所以连夜去捕捉？这真凶是谁？可是向玉书的内侄洪生？或者向玉书还有什么意外的仇敌，特地乔装了去谋害他的性命？假使如此，我们对于向玉书的生平并不熟悉，霍桑又有什么根据，能够立刻去拿凶手？若说他不是出去捉凶手的，又何必犯夜出去？因为这时候已是午夜两点左右了，人家都早已入了睡乡。他若要去探访和会见什么人，当然都不可能了。

我又想起一件事来。方才霍桑和向玉书通电话时，他说他已派人把李壮飞看守着。他此刻出去，莫非就为了派人看守的事？我想了一会儿，终不能决定他出去的目的，就回到楼上，重新坐在安乐椅上，闭着眼睛吸烟，我脑室中依旧胡思乱想，越想越觉得糊涂，我的意识也有些模糊起来。

一会儿，我忽然见霍桑直立在我的面前。

他大声说道："包朗，凶手已被我查出来了！"

我不禁揉揉眼睛，惊喜道："当真？是哪一个？"

"你且猜一猜！"

"你别作弄啦。是不是李壮飞？"

"不是，你岂不见他和我们谈话的时候，应对自如，绝没有一些虚伪掩饰的态度？他实在是冤枉的。"

"虽然，我所以疑他，也不是凭空无据的。"

"什么证据？你不是说他身上的手枪吗？但你总知道他的手枪是黑钢的，向玉书所见的却是雪亮的一支，大概是镀镍的，这一着，我不能不说你失于观察。"

"那么，是那个杜洪生？"

"也不是，这个人也太空泛。"

"我猜不着了，你还是爽快说出来吧。"

霍桑应道："老实告诉你，就是李壮飞的弟弟李雄飞！"

我惊讶道："果真是他！我也觉得他突然往杭州去，有些可疑。但他为什么要去行刺向玉书？"

霍桑含着笑容，抽出一支烟来吸着，他的目光注视着我。

他道："我既告诉了你第一层，第二层行刺的理由，却需你略略费一些脑力了。"

我道："你真可恶，又要叫我猜！但这第二层比第一层容易得多。他大概代替他哥哥不平，所以就去行刺。"

霍桑吐了一口烟，摇摇头道："不是。"

我也烧了一支烟，又道："那么，莫非他和向玉书有什么怨仇？"

霍桑笑道："这一层你自己以为容易猜的，此刻却越猜越远了。须知李雄飞和他哥哥本来是不和睦的，这时他知他哥哥求婚不允的事情，因此装扮了他哥哥李壮飞的相貌，到向家去行刺，目的就要嫁祸于李壮飞，不但教他在情场中失败，还教他负行凶的罪名。"

我不禁拍手道："哈哈，原来如此！霍桑，你立了这样的大功，我应当向你庆贺。你——你——"

这时候，我的耳朵中猛听大声叫道："包朗，包朗，你为什么还没有上床去睡？"

我张开眼来一瞧，眼见霍桑立在我的面前，额角上满缀汗珠，气息也咻咻不定，好似曾经走过急路一般。

他一面伸手从衣袋中取出一个白纸的小包和一个他常用的怀中电筒，一面含笑说道："包朗，你怎么这样快乐？你在梦境中瞧见了什么东西？"

我才明白方才的情境只是一个幻梦！

我不禁失望道："那么，你还没有成功吗？"

霍桑反问我道："成功什么？你不是指破案吧？那怎么这样容易？"

"你到哪里去的？"

"自然去探凶手的。"

"探得了没有？"

"没有。这样夜深，哪里能够容易成功？你快睡吧，明天早晨少不得要烦劳你呢。"

"现在我有几个疑点，你能够给我解释一下吗？因为我——"

霍桑一面把小纸包打开，走近电灯光下去，一面摇头答道："包朗，请你原谅。我闹了半夜，头也昏了，恕我不能多谈。"他把纸包中的东西仔细瞧了一瞧，又凑在他的鼻尖上嗅了一嗅，就重新包好。

我问道："那是什么东西？"

霍桑淡淡地应道："几粒石子。睡吧，明天会。"

于是他在五分钟内，利用着军队中紧急的动作，整理床榻和脱去衣鞋，接着啪的一声，电灯也熄灭了。霍桑真善于恶作剧。我也只得强制安睡，睡后所梦，杂乱无章，不像前一梦那么有些次序，内容也记不清楚了。

第二天起来，早餐完毕，霍桑忽又拉起琴来。我正想趁个空儿，把我夜来所蓄的种种疑团，和他质证一下。不料他拉罢了琴，忽先自动开言了。

他说道："包朗，今天我要请你相助一臂了。"

我应道："这当然可以。不过我有几个疑问，你能不能先给我解释一下。"

霍桑摇手道："包朗，我的好人！你不能再耐一下子吗？这还不是解释疑问的时候啊！"

我默然了一会儿，勉强应道："好，那么，我应当怎样效劳？"

霍桑道："我已想得一种着手的方法。但不知你能不能应许。"

我毅然答道："我的能力所及，决不推辞。"

霍桑点点头道："这样很好。现在我们应分道而行。你先往向家去，见了他们，就说你是去报告案情的。你可以说我们对于那行凶的人，已经拟定了一种方案；但在说明这方案以前，你应得先把我们和李壮飞谈话的情形，一层一层告诉他们。你说的时候，必须仔仔细细，不可遗漏什么。你说到我们从李壮飞家出来以后，就可以告一个段落。"

我问道："以后怎么样？我不是要说出我们所拟定的方案来了吗？"

霍桑摇头道："不，那时候我可以来接替你了。所以那个方案，让我来说，不必再烦劳你了。"

"那么，你到底有怎么样的方案，也应当和我说个明白。"

"你但照我的意思去说，说到了那个段落，你的责任便算终了。此外你也不必多问了。"

"这不行。你所说的这个方案，虽然不必我给他们说，我也应当知道的啊！万一我说到了这个段落，你倒还没有来接应，我也可以设法敷衍过去。否则你不是要教我为难吗？"

霍桑又摇摇头道："你放心，我一定会来接应，决不致难为你的。"

我有些扫兴，答道："虽然，你告诉我了，也不妨事。难道你怕我夺功不成？"

霍桑见我的面色带着几分怒气，便婉言道："包朗，你别误会。老实说，这方案如何说法，此刻我自己也还没有确定。我并不是故意卖什么关子。老友，请你原谅我。我先走一步。你舒齐好了，也就快些往向家去吧。"

恐怖剧的复演

霍桑的举动往往会出人家的意料。他那时教我担负这一种任务，看来好似简易得很，其实却真是一个难题。因为我既声明我造访的意思，在报告案情和说明我们设想中的凶手是谁，但实际上这个设想我是不知道的！不但我不知道，连霍桑自己，心里也还不曾有什么成竹！这不是开玩笑吗？不过事虽尴尬，我却不能不依言而行。因为事情的性质既这样严重，霍桑势不会故意叫我上当。

安庆里和我们的寓所相距不远。我到得那里，便声明来意，由那阿六通报进去。我正在客堂中等候了一刻钟光景，那向玉书就叫阿六出来，引我进厢房里去。

向玉书躺在一只安乐椅上，秀芳、丽芳姊妹两个和她们的母亲也都坐在那里。她们的脸上，个个都现着渴望的颜色，分明都准备听我的消息。这时厢房中的空气，比较昨天的惊骇凄凉的情景，已大不相同。向玉书的精神也振作得多。他一见我，便仰起了身子，忙着招呼：

"包先生，我今天还觉得有些疲乏，恕我不能够起来迎接。"

我向他点了一点头，又向那母女们鞠了一个躬。

向玉书道："先生是来报告案情的吗？请坐下来讲。"我刚才坐下，他便急急问道："你们已把那厮捉到了吗？那行凶的人，不就是那——"

我觉得他的来势太急迫了！这样开门见山的问句，我委实招架不下！

我忙摇手止住他道："向先生，你别这样性急，等我先把我们昨夜经历的情形说明了，再行申说我们的破案的方案。请你安静一些，不要打断我的话。"

向玉书应道："很好，很好。请你说。"

我觉得他口虽答应，声调是非常勉强的，他心中却恨不得叫我把那凶手的姓名立刻直说出来。这种神色不但表现在向玉书的脸上，就是那老妇和伊两个女儿，也都有同样的表示。

我仍保持我镇静的态度，把昨晚我们到李壮飞家去探问的情形，缓缓地说给他们听，我遵了霍桑的意旨，说得非常仔细。从我们叩门见那老妈子起始，一直到我们离去李壮飞家为止。我说到将近完毕的时候，心中真怀着鬼胎，因为我的故事只限于和李壮飞作别。说到那里，霍桑本应许我就来接应，以便让他自己来发表捉凶手的方案。

我将近说完了，以下再说不下去，霍桑却还没有到来！我势不能不再敷衍几句，但说些什么才好？我真是尴尬极了！幸亏向玉书听得我说到辞别了李壮飞出来，禁不住插了一句。

他问道："什么？你们没有把他拿住？昨晚霍先生对我说，已派人把那流氓看守好了。现在怎么样了？那守的人又是谁？"

我的处境非常窘困。霍桑既没有来，我所说的话却已完毕。无论那凶手是谁，我完全没有意见，就是他所问的看守李壮飞的人是谁，我也不曾知道。我怎么样回答呢？我还是据实而说，把霍桑刚才叮嘱我的情形和盘托出？这却和我的颜面大有关系。这样一来，只显得我自己没有主见，但做了霍桑的傀儡罢了！向玉书又一眼不眨地瞧着我，分明在催我回答，竟使我没有勇气和他的眼光相接。

他的妻子也开口问道："包先生，那凶手到底是谁？可就是李壮飞？"

我被伊一逼，只得所答非所问地勉强说道："我们对于李壮飞固然有几个疑点——"

向玉书抢着说："仅仅是几个疑点？"

我仍自顾自地道："是的，第一，他不能确切证明他昨晚的踪迹；第二，他的帽子和眼镜两相合符；第三，他身上果真有一支手枪——"

向玉书忽挣扎着从椅子上仰坐起来，说道："够了，够了，还用什么多说？凶手一定是他！"

这事真坏透了，他竟一口说定。我不得不勉强分辩。

我道："向先生，你别性急。这不过是一方面的情形，还有别一方面的情形哩。"

向玉书道："还有别一方面吗？什么？什么？你说，你快说！难道李壮飞的行凶还有疑问？如果如此，那凶手又是谁呀？包先生，请你快说，请你——"

忽然，我听得玻璃破碎的声音；接着又听得砰的一声，分明是手枪。同时那姊妹两个陡然发出一声锐利刺耳的怪叫。向玉书也眯着两目，举起一只颤动的手指，向窗口指着。

他惊怪道："你瞧——你瞧！——凶手——凶手！——"

我回头瞧时，果见窗口外面一个戴黑帽和墨晶眼镜的人面，右手中执着一支雪亮的手枪，早已伸进窗来。

我不暇思索，立即跳起身来，开了大门奔追出去。那巷的左向，静悄悄不见人影，但觉右眼光中，仿佛有一个黑影，闪地避进侧巷里去，转瞬间忽然不见。我怎肯舍弃，急步跟追上去。我到得巷口，果见有一个人躲在向家的后门口里。我不问情由，一把将他拉住，回进巷中，用足了气力，把他拉进了向家。向玉书已支撑起来，走到了客堂里面。

他大声呼道："正是他，正是他！这就是李壮飞——包先生，别放松他，等我差人去唤警察。"

那人忽说道："包朗，快放手。怎么连你都认不出我？"

我一听那人的声音，放松了手，不由不骇怪起来。那就是霍桑的声音啊！这时霍桑已把黑帽脱去，接着又除下了眼镜，又用一块白巾在脸上抹拭了一会儿，恢复了霍桑的本来面目。

霍桑赔着笑脸，对向玉书道："向先生，我们昨天晚上已经会过，我想用不着我再行自己介绍了。"

这自然不但我莫名其妙，那向玉书也张大了两眼，眼珠差不多要突出眼眶来，显见得十二分惊奇。

霍桑走前一步，又说道："向先生，你觉得诧异吗？我来说给你听。我瞧你的精神还没有复原,我们不如到里面去坐下谈。"

剧情的揭露

我们三个人进了厢房,那秀芳、丽芳和她们的母亲早已吓得逃到楼上去了。霍桑顺手把两面的门都轻轻关上。

向玉书坐定以后,才喘息着说:"这到底是怎么一回事?我真像堕入了五里雾中。"

霍桑道:"我先问你。你方才所见的景状和你昨天晚上所见的可相像?"

向玉书道:"怎么不像?简直完全没有两样。莫非昨晚上也就是你——"

霍桑笑道:"当然不是。我不过演习一次,以便我解释的时候教你容易明白些罢了。"

向玉书道:"我真弄不懂。那么,这凶手是谁?你究竟知道了没有?"

霍桑点点头道:"知道了。"

他伸手摸进衣袋里去,取出一支镀镍的小手枪来,随把手枪和黑帽眼镜一起都放在书桌上。

他指给向玉书瞧道:"这就是真凶。"他随即坐了下来。

向玉书呆木了一会儿,向桌上的东西瞧瞧,又移过目光来向霍桑瞧瞧,两只眼睛交替地眨动,仿佛他的意识的活动,已暂时宣告了停顿。

一会儿,他诧异道:"什么?这手枪是一种孩子们的玩具啊!到底是什么意思?"

霍桑道："原是啊！还有一件东西呢。否则那手枪也不会发声。"他说时，取出一粒金色纸包裹的大撒炮来，也丢在书桌上面。

我只是静默着，暗暗地纳闷，再也想不出这回事的内幕。

霍桑继续道："你所说的真凶，只是你的想象，实际上却并没有人要打算害你。"

向玉书把一只手摸在额上，两只眼睛合成了狭缝，向霍桑和我瞧来瞧去，有些迷迷糊糊的模样。

他吞吐地答道："这……这究竟是一件什么事？我仿佛现在还在梦里。难道……难道昨晚的事，有人和我开玩笑不成？"

这几句话好像是他替我说的。因为我这时坐在那里，也似乎进了梦境。我委实不知道这件事的真相到底如何，而且霍桑会这样子弄鬼戏，也实在出乎我的意想。他此刻却悠闲地烧着了一支纸烟。

向玉书又气息咻咻地问道："霍先生，你说没有人要害我，那么，是不是什么人跟我闹着玩？"

霍桑回答道："这回事既不是故意行凶，也不是和你开玩笑，内中却含一些小小的作用。"

"作用？什么作用？"

"近乎一种恶作剧。"

"嗯，恶作剧？谁敢如此？洪生吗？"

"不是——是个跟你最亲近的人。"

"奇怪，这人在哪里？"

"近在眼前。"

向玉书的眼睛像有火一般地闪烁着。他的呼吸也增加了速度。

他大声说："霍先生，那个恶作剧的人到底是谁？你快快告诉我！"

霍桑指着书桌缓缓说："不是别人，昨天晚上借助这四件东西的，就是令爱向秀芳小姐。"

向玉书从安乐椅上直跳起来，骇异道："什么？秀芳？你别胡说。秀芳怎么会——"

霍桑笑道："你且安静些。老实说，这书桌上的一支玩具的手枪和那呢帽、眼镜，只在十分钟前，我从令爱的卧室中寻出来的。我很抱歉，我擅自闯进闺房里去，当然不免冒昧。可是我为着要解释这一件疑案和免除你脑子里无根由的恐怖，不能不权宜一下。这一着，要请你原恕的。"

向玉书瞧着霍桑，仍旧半信半疑地说："当真？我终有些不相信。秀芳为什么要这样戏弄我？"

"我早说过了啊。伊是有目的的。"

"什么目的？"

霍桑不答，脸上含着微笑。他突然反问道："你的两位千金，彼此间的感情并不十分和睦，对吗？"

向玉书顿了一顿，答道："是的，的确如此。但你为什么问到这层？"

霍桑道："昨晚上我瞧见姊妹俩间的举动语调和神色，已觉得有些诧异。我不曾听得过一句姊妹的称呼，便料想她们俩不是十分和好的。"

向玉书道："她们姊妹间即使不睦，为什么要这样子捣鬼？要这样子戏弄我？"

霍桑吐了一口烟，答道："老实说吧，你家丽芳和李壮飞的交谊，据我看来，原是很正当的。须知有教育和人格的男女，互相交际往来，不能和寻常的不规则的滥交一律看待。他们因着艺术上的同好，进而发生恋爱，原也算不得不正当的事。可是同时伊的姐姐秀芳，也和李壮飞发生了片面的单恋。因此，丽芳和李壮飞的情爱越密切，秀芳的妒焰越旺炽。姊妹俩中间有着这样的恶因，感情自然要日见恶劣了。

"后来壮飞和丽芳的婚约成熟，秀芳益发失望，更从失望而发行破坏的意念。所以秀芳一听得你不允许他们的婚约，就趁此机缘，玩这一套落井下石的恶剧。秀芳乔装着李壮飞，假意向你行刺，使你归罪于李壮飞，到底不会允许把丽芳嫁给他。这样，伊妹妹的婚事自然也和伊一样终于失败；伊的妒意也可得到消释了。"

向玉书深深呼吸了一下，说道："霍先生，你这话是事实吗？"

霍桑摇头道："不，这是我从推理中得到的假定，但我相信事实也不会有多大相差。你如果不信，不妨问问令郎兴宝，昨天午后，他有没有跟他的大姐往新闸路杂货铺去买一个蜡人和一只翠鸟。因为就在那时，秀芳便暗暗地买了那手枪和金钱掼炮。或者过几时，悄悄地问一问秀芳，也就可以明白的。"

向玉书咬着牙齿，恨恨道："我自然要问伊，干得这样好事！"

霍桑忙摇手道："向先生，你误会我的意思了。我所说的问伊，只叫你在事过以后，向伊温讽婉劝。若使你现在趁着怒气去质问，那就一定会闹出乱子来。你总知道女子们的神经究竟比较脆弱些，经不起这样的刺激，也许因此一举，发生什么意外的变端。"

向玉书右手握着，击着自己的左拳，说："我不管！"

霍桑仍婉声劝告说："向先生，你如果如此，那就违反了我的本意。你须知女子们的情感一经恋爱的波荡，往往会做出失却理智的行为，你做父亲的，就不能不加以体谅和宽恕。况且，这回事一经公开宣布，秀芳即使没有消极的行动，但她们姊妹之间势必要结仇越深，这也不利家庭间的幸福。向先生，你应该平心静气地想一想才好。"

向玉书重新回坐到安乐椅上去，低垂了头，在瞧他脚上的那双玄色缎鞋。他似乎已领悟到霍桑的劝告的含义，果真在那里动脑筋了。

霍桑吸了一口烟，又婉声说道："我的意思，这一回事决不能急切从事。眼前你只能暂时少出面，只说我们已查明有人在醉后和你开玩笑。这样平安过去，丽芳当然不会衔怨，而秀芳自己明白，一经理智的恢复，反躬自省，倒也许有悔过的一日。这是我的忠告，还请你三思才是。"

向玉书叹了一口气："先生的话，果然不错，但我生了这样的女儿，终有些气不消。"

霍桑丢了烟尾，缓缓立起身来，走到书桌面前，仍旧把黑帽戴上，又将玩具，手枪，眼镜和掼炮等都纳在自己的袋里。

他说道："虽然，女孩子受了情感的冲动，行为上的盲目，有时也只能加以原恕。你但想一想这事的后果和利害，你的气也就可以平了。"

向玉书也立了起来，走近一步，拉着霍桑问道："那么，李壮飞对于这件事可是完全没有关系？"

霍桑点头道："正是，他全不知道，并且对于你的拒绝婚约，也没有什么怨意。这一层，包朗兄想已说过，我不必多说了。再见吧。"

向玉书的疑团和恐怖既已消除，神气上就旺盛得多。他蹒跚着送我们出来。

他又道："多谢二位，我不幸生了这不肖的——"

我们已走到客堂，霍桑忙摇手止住他，低声道："好啦，别多说了，你应得记着我的话。这里说话，楼上可以听得。我们再见吧。"

向玉书恭敬地拱拱手道："那么，霍先生，包先生，劳神得很，恕我不送，改日我再到尊寓道谢。"

女子心理的分析

我们回到了爱文路寓所，我的满腹半明半昧的疑团，自然再也按捺不住。

我便向霍桑说道："霍桑，这一出含有恐怖性的活剧，情节的离奇，真可算得出乎寻常，你的表演的技术，也可把郎却乃和卓别林合而为一。但你究竟凭着什么根据，竟然揭开了台幕，自己也跳上了舞台？我至今还不明白。"

霍桑微笑着解释道："这事在初着手时，果然有些难解。可是一经说破，便可知是一幕喜剧。当时据向玉书说，他明明瞧见行凶的是李壮飞，我们当然不能不把目光凝注在壮飞身上。但后来一经盘问，我就觉得干这事的，实在不是他。"

我插口道："怎样知道的？"

霍桑道："我知道他昨晚上确实在电影院里，故而相信他不曾行凶。"

"他果真在影戏院里吗？那么，施桂进院时的吵闹，他怎么说不出来？"

"那喧哝的声浪并不十分大，只有少数近门口的人闻声惊起。别的莫说，就是你自己，那时候也全神贯注在银幕上面，若不是我叫你，你也决计不会听得。你怎么独独苛责他人？"

我想了一想，果然不错，一阵脸红，无言可答。

霍桑继续道："此外，他也和你一样，脸颊上面，都留着同样的标记，那就是一个证据。"

"什么标记？"

"就是因着感情的冲动，都曾流过同情泪的。"

我不由不点了点头。

霍桑又解释道："因此，我又知道他果真是一个感情丰富的文学家，绝不会干那杀人行凶的勾当。我于是再推想开去。他既不曾行凶，但向玉书所见的相貌，却明明是他，这可以推知一定另外有人假托。那假托的人是谁？有什么用意？我当时也觉得空洞无凭，思索不得。后来我弄了一会儿琴，精神一凝，忽然想出了一条路径。

"那假冒的人的目的似乎并不是真要行凶，但瞧有枪声没有枪弹，就是一个明证。此外，又有那张掩饰字迹的纸条，显见这也是只含着恐吓的作用；否则一个人无论蠢到怎样程度，绝没有一面通告，一面行凶的矛盾举动。

"这样，就引起了几个疑问：这人是谁？为什么要恐吓向玉书？可是向玉书的内侄杜洪生吗？不是，因为他的目的在于借钱。试想他这样子恐吓向玉书，可会借得到钱？对他本身又有什么益处？并且杜洪生是个腐化而近于恶化的青年，即使要用暴力恐吓他的姑夫，他也不怕什么，又何必冒了李壮飞的相貌？

"把这种种归纳起来，可知那人既这样子假冒，势必是个和李壮飞有关系的人，并且是一个要使李壮飞见恶于向玉书而倾心于己的人。那么，这个人到底是谁？我就推想到秀芳身上去了，因为秀芳和李壮飞也是常来往的。但我听李壮飞的口气，他只爱丽芳，对秀芳并无好感，秀芳对壮飞只是单恋。壮飞既和丽芳订婚，秀芳自然感到失望。伊因失望的缘故，而生出歹意，原是有充分可能性的。其中的理由，方才我已经说过。因为我又记得当昨晚向玉书说出李壮飞名字的时候，那丽芳闻声而晕，伊的姐姐秀芳虽走过去扶持，伊的脸上却隐隐现出一种得意的神色。这不但显得她们平时的不睦，也可以知道秀芳还有幸灾乐祸的私意呢！"

我听到这里，也恍然大悟，便也记得当秀芳趋扶的时候，丽芳好似有不愿受扶的表示，后来就倒向一只椅子上去饮泣。

我因说道："那么，秀芳既然要使李壮飞见恶于伊的父亲而甘心，当昨晚我们临行的时候，伊还殷殷叮咛，叫我们不要难为壮飞。那大概是伊假惺惺作态。是吗？"

霍桑忽笑道："包朗，你对于女子的心理显见还没有下过研究的功夫。"

"这话怎么说？"

"你的话错了。伊昨晚叮咛我们的说话，实在是出于真情。须知伊假冒李壮飞，就因着妒忌伊的妹妹，想要破坏伊的婚约，但伊并不想中伤李壮飞。事后，伊觉得连累了李壮飞，心中便觉得不安，所以就叮嘱我们不要和他为难。伊心里原是爱他的啊！"

我也不禁笑道："这话果然有理，你倒是一个研究女子心理的专家了。但我想到伊的举动，还有些不甚明白。你想，我们第一次进去的时候，秀芳不是一同在厢房中吗？"

霍桑道："这也明显得很。伊在傍晚的时候，随便教一个车夫或苦力送了那张纸条进去给阿六；等到晚上十点钟，人声已静，伊就假装好了，悄悄下楼，开了后门，实行那出丢掼炮的把戏；接着，伊便重新回进侧巷，从后门里进去，归到自己的卧房里去换去假装，然后再下楼到厢房里去。时间上不是绰绰有余吗？

"当时我们进到侧巷中时，虽然已不见伊的行踪，伊所留下的掼炮中的石子，却还留在窗口外面。我们明明践踏过的，可惜在那个时候，我们万万想不到这层，没有注意。后来我又因着向玉书的说话，匆匆去见李壮飞，始终没有机会视察。直到末后，我因着别的证迹，方才回想到这层。"

"这样说，你昨晚半夜后重新悄悄地从寓里出去，可是就为着——"

"是啊。我就为了记得当我到向家去时，脚底下仿佛践踏过几粒石子，所以就出去证明我的设想。至于我出去的结果，果然拾得了几粒石子，你昨天晚上已知道了。"

"既然如此，你今天早晨为什么不就和我说明，却叫我去做一个尴尬的难人？"

霍桑直瞧着我答道："那你不能责我。那时我还只有个空洞的设想，到底不曾有什么确实的证据。我虽知道你急于要找求解释，但我怎敢贸贸然下断语？后来我到几家附近的杂货铺里去调查了一回，才得到了实际的证据。

"接着，我也赶到向家，从向家的后门进去，遇见那当差的阿六。据他说，小姐们都在楼下厢房里面。我知道我的计划已一部分成功。我就向阿六问明了秀芳的卧室，又向他说了一句谎话，将他遣开去。我就一直走进秀芳的卧室里去，果然不出所料，给我搜见了那伪装的证据。于是我就匆匆退出来接应你，玩出那一幕把戏。你须知那时我患得患失，一种提心吊胆的情况，真和你的窘迫心理并没有两样啊！"

我道："那么，你所以伪装了这幕把戏，原是有解释作用的，是不是？"

霍桑点头道："自然啊，我这样实地复演一次，容易教向玉书明白他的恐怖的成因和曲折的内幕，省却我解释许多唇舌。同时，我这演习又产生了一种意外的副作用。大概由于秀芳的主动，竟将伊的母亲和妹妹拉到了楼上去，又省却我将他们调开。这样，我解释时，就方便得多。"

"她们三人也许是吓走的，但你不怕再吓坏那向玉书吗？"

霍桑摇头道："这是过虑的。这就是医学上的所谓'心理治疗'。况且这时候是青天白日，你又在他的旁边，跟昨晚上的情境完全不同。"他说到这里，立起来开了抽屉，取出一把黑钢的手枪来："这东西我们应当去还李壮飞了。"

我把手枪接过一看，那是一种旧式的转轮枪，枪膛中有四粒子弹，两个弹孔中微微有些生锈。

霍桑笑道："你现在可以明白了。他说没有用过，并不是虚话。"

我点点头道："正是。可惜你当时没有给我瞧一瞧，否则我也可以相信他的话了……但你想李壮飞的人品究竟怎样？"

"我认为他是一个感情丰富且有人格的青年。"

"那么，你想他和丽芳的婚姻，可会有成就的希望？"

霍桑沉吟着道："这也难说，但经我刚才的一番谈话，向玉书的偏执的意志，至少也要减少几分。——包朗，现在这幕活剧的前情后节，你都已了解，我对于你可算已尽了责任。你总不会再抱怨我了吧！"

我停了一停，笑道："你的责任还没有终了。"

霍桑有些诧异："还有什么？"

"还有一件事。昨晚上你曾应许我今晚再陪我去瞧完那《为国牺牲》。"

霍桑不即回答，忽然低垂了头，抚摸着他的下颌。一会儿，他沉下了脸色，仰面叹息。

他说道："这一出影戏，那向秀芳实在应得去瞧一下子。"

我一时不明白他的语意，只向他呆瞧。

霍桑又说道："那一出影戏的微旨，就是要教人家泯除猜忌的心理和启发'利他的爱'。秀芳对于伊的骨肉竟有这样的举动，就是只知利己而不知利他的结果。你想对不对？"

我没有话答，只微微地点了点头。

珠 项 圈

可疑的足音

是的，当侦探的人，危险是工作上当然的报酬，惊疑和恐怖，更可算是家常便饭。我自从和霍桑合作以来，所经历的惊变危险，正不知多多少少。譬如我曾在"黑地牢"一案之中被绑，后来又不幸中了一枪。在当时我固然感受到一时的紧张，但事过境迁，便也淡然忘怀。这就因侦探的生活，本来和惊险为缘，种瓜得瓜，自然也无所怨怼。可是我这一次的奇怪的经历，却是一个例外，此刻我执笔记述，还觉得牙痒痒的余怒未消。

当我从我的岳家高家出来的时候，精神上真感到十分愉快，想不到就在这十分钟内，我会遭遇到这一种可怪可恨而又使人无所措施的经历。

这一天是我岳母的六十诞辰。在理我的妻子佩芹本应一块儿去祝寿。偏偏不巧，佩芹伤了风发起热来，躺在床上不能出门，我只得一个人去祝寿。这晚上贺客盈门，黄河路上汽车包车排列得水泄不通。我寻思我岳母的寿辰，如果移早在两三年前，也许不会得如此热闹。原来佩芹的哥哥佩贤，自从德国陆军大学毕业以后，便回国来参加革命工作，因着在战事上努力的结果，擢升旅长之职。因此，这天的贺客之中，军政两界的长官，竟占了大半。但在这寿筵上最引人注目而受人赞美的，并不是少年得意的佩贤，却是那佩贤最小的妹妹佩芬。伊今年已十九岁了，正读江苏大学一年级。伊的年龄虽已算不得怎样小，但那种天真的稚气，却还没有脱尽。伊的面貌也不在我的佩芹之下，白馥馥的面颊，不施胭脂，天然红润；一双剪波的慧目，妩媚中含着天真的活泼。这晚上伊穿的一件浅紫色软绸的袒领西服，那紫绸四缘，还绣着许多细散的白花，乃是国华织绸厂里的最新出品；足上一双银色的舞鞋，也是国产的上品。伊玉琢似的双臂和粉颈，完全露着，衬着那一条宝光灿烂的珍珠项圈，越显得华艳不凡。那晚上的女宾，固然一大半是珠围翠绕，明眸皓齿，都有着动人的风姿，可是谁也比不上佩芬的秀韵出尘。

伊既是众宾们视线的鹄的，却偏偏厮缠我，一会儿强我做舞，一会儿又摭拾了几句莎士比亚戏剧里的难句，呶呶地叫我解释。在伊原是天真烂漫，毫无顾忌，但在我的地位说来，为避免一般人的误解起见，却不能不矜持些。可是那时我也没法脱身，因此我反觉得有些窘促不安。届来直到坐席的当儿，我方才自由了些。

我本想略坐一坐，就告辞回去。因为佩芹的热度怎样，着实使我焦心。不料我加入的一席，都是些酒国的健将，我虽抱着坚守不战主义，可是我的阵线不坚，终于被他们攻破。于是经过了几个通关，我的酒量已过了限度。我因着历次的经验，再不愿踏进醉乡里去，便想到力敌不如智胜，就一溜烟地悄悄逃席而出。

这天晚上，月明星稀，温暖的南风，吹在脸上，很有些疏散的作用。当我出门的时候，既然出于逃席，自然不曾正式告别，佩贤也不曾送出门来。那时女席已散，但大厅上的十余桌男宾，却大半还在兴高采烈地猜拳行令。我也曾向我的邻席上瞧过一眼，我的老友霍桑也早已不见。我知道他对于寻常的应酬，往往规避不到，这一次却因着我的关系，居然亲自临祝。但他既已不待终席而先行，可见他也和我同样的感着不耐。

我出了大门，沿黄河路的人行道上缓缓行进，经了那一阵阵的夜风，脸上的热炙果然略略减些，但脑室中还觉得昏沉沉的。所以我决定步行回去，借此运动一下，使脑海中的血液得以流动下降。我走到了黄河路转角，左手转弯，便走进了青海路。那里排列的车马既已完尽，行人也绝迹不见。一转弯间，一闹一静，便换了一个境界。我不禁动了遐想，想到人生的命运和人情的冷暖，也只有一转弯的差别。假使佩贤的军职一朝降落，那么第二次如果再有什么庆典，门前车马，谅来也不会再有这样子拥挤热闹了吧！

我在青海路上走过了十多家门面，我的听觉中忽似觉得有轻微的足步声，远远跟随在我的背后。我当时还绝对想不到有危险和奇诡的遭遇。我穿的一身国产春呢的西装，衣袋中也并无巨款，并且我的裤子袋中，还带着一支黑钢手枪，所以万一有什么不识相的路劫相好，要想在我身上摸手摸脚，不一定会有便宜。这时候约交十一点半，青海路上虽然静寂，黄河路上却仍车辆喧阗，事实上也断不虞什么意外。

我一边静思，一边仍缓缓行进。我的脑室中的昏沉状态，果真已减低不少，便想吸烟。我摸出了一支纸烟，脚步略略停了一停，擦着火柴吸烟。可是我那背后的脚声，仿佛加紧了些，越听越近。我能回头去瞧一瞧吗？那原是很自由的。不过在那尴尬的当儿，这种回头的举动，却足以示弱于人，又觉得不便。

当我的右手把火柴的残梗丢向马路去时，乘势偏着头部，向我背后的人行道上瞥了一下。我的眼角神经所报告于脑神经的，乃是一个和我身材相仿佛的穿西装的男子。他身上穿一件灰色方格条纹的春季外褂，下面露出栗壳色的裤子，头上戴一顶深棕色的铜盆呢帽，两只手正插在外褂的袋中。这个人似正低头进行，脚步果真很紧，和我的距离只有两三步。这个人的状态，除了他的脚步故意紧促有些可疑以外，原没有什么特殊之点。我当然不便有什么举动。

不过在我的十二分镇静和暇豫之中，也不能不有一些戒心。我固然不怕路劫，却不能不防备那些跟侦探们处于相对地位的敌手。在已往的二十年中，那些穷凶极恶和阴谋叵测的罪徒，跌翻在我们手中的，已不知有多少。这班人怀怨在心，暗地里乘机报复，也不能说不可能的。因此之故，我的脚步故意放缓，准备让他先走。我的右手，也不期然而然地伸进我的裤袋里去。

不可理喻

正在这时，我猛觉得我的左肩膊上被轻轻一拍，同时有一股香气，直袭我的鼻管。我立即住了脚步，旋转头去，便和那个西装朋友面面相对。我不认识他，也不知他有什么用意。我正待发问，那人忽有一种出乎意料的举动。他的右手从外褂袋中摸出一种白色的东西，向着我左手中一塞，接着便又放开脚步。急急地前进。

我一时竟呆住了。他这举动完全出我的意料。我的右手虽已摸着了枪柄，却又不便贸然乱放，因为我左手中还不知是什

么东西。我的手指自然而然地握了一握，却是一个白巾的小包。在这一握的举动之中，还发出些细碎摩擦声音。

怪了！这是什么东西？那小包并不沉重，不像是危险物品。在这时候我的理智指示我，第一步动作应把这包中的东西瞧一个明白。于是我的右手立即放了枪柄，急急把那包打开。那是一块四周折边的细白麻纱巾，曾经熨铁烫过，还带着浓烈的香气。这小包幸亏是卷裹着的，并没打结，我在两三秒钟时间内，已经展了开来。可是展开以后，我的目光一和包中的东西接触，这一惊却非同小可。

原来白巾中却是一条异光耀目的珠项圈！

我仿佛进了梦境。有一声讶异的惊呼，自动地从我的喉关中冲出来。我口中的那支纸烟也顿时落在地上。我已仿佛失了知觉。抬头一瞧，前面那个穿灰呢外衣的西装男子，已在十多码外，他的背形还隐约可见。这个人有什么用意？善意的还是恶意的？但无论如何，他和我既面不相识，却把这样的东西交在我手，我决不能轻轻放他过去。我不再犹豫，顺手把白巾和项圈塞在袋中，也放开脚步，急急向前追赶。我的步伐已从安步变了跑步，恨不得立即把那人抓住。可是我只跑了三四步远，猛听得我的背后也有急促的奔跑声音，同时我又听得有人高声呵喝：

"且慢！"

这呵喝的命令是向我发的吗？还是对前面的人？我不能不疑讶起来。我的听觉虽然接受了这个命令，我的两足却还不肯服从。我的全神既完全贯注在前面的人，我的疑讶的结果，以为这呵喝是向我的前面的人发的。不料砰的一声，冲破了这沉静的空气。原来我后面的人竟因误会而开枪了，我怎样应付呢？再继续前进？那似乎不智。我为了避免误会的牺牲，势不能不停止脚步，同时我又举起两手，以防他第二次开枪。

我遭了这第二次的变端，心中已很了然。那前面的人分明已干了一件犯法的勾当，后面的人也一定是什么追踪的警探，我不幸夹在中间，才使那警探发生了误会。我旋转身来，见那追赶的人早已奔近我的面前。那人身材高大，穿一件玄色的长袍，上面并无马褂，头上戴一顶深黄条纹呢的鸭舌帽儿，虽然压得很低，但从电灯光下，还可以瞧见他的苍黑的横肉脸儿。一双粗圆的眼睛，张大得可怕。他这打扮分明是一个便衣侦探，我先前料想已经证合。他一定已误会了。

我等他走近，便先开口道："朋友，你弄错了。"

他的右手执着一支闪亮的镀镍手枪，枪管凝注着我。

他冷冷地答道："谁弄错了？"

我道："你不见那前面的人已转弯了吗？"

这横肉脸的大汉倒很镇静。他答道："不错，让他去吧。"

我道："这个人不能放掉。"

他道："有了你，也是一样。"

我觉他的成见很深，急切间又找不得相当的说话足以祛除他的误会，不觉有些着恼。

我但道："你当真弄错了。这个人万万不能放过。快追上去。"

他道："你不会买些糖果骗骗我吗？"

我不禁更加着恼道："你缠到牛角尖去了！这个人才是罪徒。现在他安然脱身，那责任要你负的。"

他也提高喉咙答道："捉贼捉赃，那才是我的责任。那东西不是在你身上吗？"

他说了这句，便踏前一步，把枪口抵住了我的胸口，突地伸手摸我左襟的衣袋。一刹那间，那条白巾包里的项圈，已到了他的手中！于是他脸上露出一种狞笑，那种攒眉挤眼的得意状态，见了真使人可恨，又觉可笑。

在这种情态之下，若依我的本性，只有不顾一切，冒险和他拼干一下。不过我的经验已多，自信还有些科学态度。我若和他反抗，不但和他同等错误，而且还不免贻失态之讥。因为论这个人的职司，这种措施原属应当。他既不认识我，这误会不易解释，论情也是可原。因这一念，我的态度反而沉静下来。

我又向他说："这里有一重曲折。你还没有明白。这逃走的人才是真正的罪徒。你若不信，我可以同你一块儿赶上去，也许还来得及。"

那人一边把珠项圈放在他的袋中，一边懒洋洋地答道："我却打算省些足力了。"

我见这个人不可理喻，又气又恨，一时却又想不出什么办法。但那个栽赃的罪徒，现已脱身远飏。这件事已被这个人弄僵。

我又耐着性儿说道："我是高家的客人，刚才从那里出来。"

他接口道："不错，我知道的，就是你的同伴也是从高家里出来的。"

我道："你真把我当作同党看待吗？好，现在我同你回到高家里去。"

那探伙道："那不行。我们还是往警署里去。"

我不禁盛气道："也好，我跟你走。但你须知道我是包朗！"

这可恶的探伙忽剪住我道："你叫包龙吗？哈哈，包龙图也不相干的。快走，快走！"

从青海路向东转弯，就是警察第四分署，从那出事地点走去，约有两分钟的路程。我在途中忖度，我今夜可算不幸。偏偏遇着这个蛮子。这个误会，一到署中当然立即可以解释，不过这项圈问题，那行窃的匪徒既已脱身，一时倒还不能解决。我和那人曾面对面瞧过一瞧，虽在一瞥之间，但那人的面貌，我已有几分把握。平日霍桑常和我讨论观察面相的方法：第一着眼，就须注意眼睛、鼻子和那面部的线纹，有无特异之点。这一个印象已经留下，以后便不容易淡忘。我记得我瞧见那人的鼻子带些钩形，一双小眼，瞧人时形似棱角。这两个异点已尽足做辨认的根据。我自信第二次如果见他，决不致逃避我的目光。不过这个人是谁？此刻又往哪里去寻？据这探伙说，这人也是从高家里出来的。我怎么没有见过？调查起来，不知有没有困难。

警署中

我们进了警署，不料又有一个小小的顿挫，那署长竟不在署中，一时没人负责。这误会分明还不容易剖白。

我因厉声向那探伙道："你快去把署长找来，我没有工夫等候。今夜的事，你干得很好，你准备着得功吧！"

我这一种的语声和态度，竟使那个蛮不讲理的探伙露出些讶异的神色。因为寻常犯罪的人，踏进了警署，总不免有些惶恐畏惧的表示。我的声浪态度，却恰正成一个反比例。那委实不能不使他惊疑起来。他果真向一个值夜的周番接洽了几句，便派了一个人出去找寻署长。

我也老实不客气地走到周番室的电话箱前，先打电话到霍桑寓里，问问他曾否回寓。事又不巧，据他旧仆施桂说，他曾回寓过一次，但转了一转，又匆匆出去了。我打电话的时候，那探伙和那值夜的周番都在旁边。那周番似乎比较灵敏些，因着我和施桂的谈话，似已猜想到我是谁。我见他向那探伙窃窃地私语了几句，那探伙的脸色似已逐渐地变异起来。

我仍绝不理会，正要打第二次电话，忽见外面走进一个人来。那人穿一身深青呢的中山装，上唇有些短须，还戴着一副托力克眼镜。这人就是第四分署的署长，面貌却很熟识，分明曾在哪里见过，不过一时却记不起他的姓名。那署长一走进来，那个探伙便恭恭敬敬地走前一步，想要报告的样子。署长却挥一挥手，一直走到我的面前，脱了呢帽，伸出手来和我交握，嘴里又发出一种很亲热的欢呼。

"包先生。久违了。难得你光临。"

我倒又窘促起来。我再也想不起他的姓名，不知怎样称呼。

他却十二分机警，又自己通报道："兄弟是张宝全。三年前我在杭州的时候，息游别墅那件案子，不是靠着先生们的助力，才得解决吗？"

他说着便拉着我走进他的办公室去，又很殷勤地请我坐下。我才记得那时候他曾为着那别墅中的神秘的凶案亲自赶到上海，我和霍桑确曾帮过他的忙。不过我因着交接的人多，竟记不得他的姓名。

我一边坐下，一边道歉道："唉，张先生，我真荒谬得很，阔别几年，一时竟记不起来。张先生，你几时调到上海来的？"

张宝全道："才两个月。我还没有登门拜访过，抱歉得很。但包先生在这样的深夜光临，也出我的意料。莫非有什么使唤吗？"

他忙取出烟匣，敬了我一支纸烟。我一边接烟，一边把我的眼光向那站在门口外面的探伙瞥了一下。他的面容已大大的改变了，不但已不见了那副刚狠蛮横之色，却又目定口呆，仿佛正怕有什么大祸临头。

我带着笑容说道："张先生，言重了。今夜我是来做罪犯的，你怎么反把我当作上宾看待？"

张宝全怔了一怔，他的眼光也跟着我的视线，瞧到那办公室门口的探伙身上。那探伙垂直了两手，哭丧了脸，兀自在咬自己的嘴唇。

张宝全问道："邱奎，你走进来。这是什么一回事？莫非你得罪了这位包先生？"

那叫作邱奎的探伙，勉强移动两足，一寸一步地跨进了办公室的门口。

他吞吐着道："我奉命在高家门外，暗暗地监护。约在半小时前，我瞧见这位先生从高家出来。他举步时非常匆促，又不见高姓的主人送出门来。我本来不认识他，便不能不有些怀疑。接着又有第二个人悄悄出走，态度上有同样可疑。这两个人一前一后，都向青海路进行，并且都是步行，并不乘车。因此越引动我的疑心，我就尾随在那第二人的后面。我走进了青海路后，瞧见那第二人忽走近这位先生的身边，把一种东西悄悄地递交过去。因这一着，我才料定这里面必有诡秘的勾当，同时我又误认这包先生是那人的同党。当时我奔到这位先生的面前，又从他身上取出了这个东西，但我实在想不到这先生是署长的朋友。这一着要请署长原谅才好。"他说着便把那项圈小包，双手送到署长的书桌上面。

张宝全呆了一呆。他将白巾打开，瞧一瞧项圈，又回头来瞧我。

他仰面问道："包先生，他的话可实在？这件事究竟怎样？"

我答道："他的话果真不虚，不过他的头脑太简单了。当时我曾竭力解释，叫他不要误会。他却坚执着不听，硬生生把那匪徒放掉。如果我说得不客气些，他真像是串通了那个匪徒，故意放走他的。"

于是我就把刚才经过的情形，向张宝全说了一遍。末后我又补充说："这件事原很明了。这个匪徒当时混在高家的宾客里面，用了什么方法，窃得了这条项圈，便悄悄出来。他走了几步，发觉贵探伙正尾随在他后面。他自己心虚起来，便想把赃物移渡，以便脱身。不幸贵探伙中了他的计，便厮缠着我，眼睁睁地让他逃走。"

张宝全作惊讶声道："唉，原来如此！"他又旋过头去，瞧着邱奎申斥道："你这没用的笨伯！竟会干出这种事来。你总算是当了一名探伙，虽然不认识这包先生，总也应得听得过他的名声。怎么包先生说明了他的姓名，你竟还执迷不悟？你真混账！"那邱奎低垂了头，连眼光都不敢抬起，那种卑顺惶恐的状态，见了又觉可笑。

他期期然答道："我真该死，我听错了。请包先生宽恕我这一遭吧。"他忽旋转身来，连连地向着我作揖打拱。

我倒反有些不好意思。这班没智识的人，前倨后恭，原不算稀罕。我如果也坚持着当场报复，反觉得我的器量有些不大。

我因作调解声道："张先生，他当初对于我的蛮横凌辱，虽也有失侦探态度，但事既出于误会，我还可以原谅。不过这一件案子分明也很严重。当时他因着不可理喻，才使那奸徒脱身远去。所以别的都不成问题，那匪徒的踪迹，应怎样查明，这位邱先生应当负责。"

张宝全又顿足向邱奎道:"可恶!可恶!这案子明明被你弄坏。你要保存你的饭碗,当然得负责把那人追寻回来。"

那邱奎又把腰背弯得像弓儿模样,连连应道:"我认得出这个坏蛋,一定照办,一定照办。"他说了这几句话,再也不敢有别的话,便又深深鞠了一个躬,低着头走出办公室去。

我默念得志时趾高气扬,不可一世,一失意便谄媚屈服,无所不为。这原是小人们的惯伎,想来也真可笑可怜。

项圈问题

张宝全也想到了这案子的严重,便把他的目光移转过来。他重新把桌上的项圈瞧了一瞧,才依旧用那块白巾包好。

他问我道:"包先生,据你料想,这案子的性质怎样?可是一件盗劫案?"

我答道:"这里面有几种猜想,都有成立的可能,不过其中有一种猜想,最切近眼前的事实。我曾瞧见我的内姨佩芬女士,今晚上佩戴着一条珠子项圈。这匪徒既也从高家出来,分明这东西就是我小姨子的。"

张宝全道:"这推理确很近似。但东西现已到手,他怎肯轻轻丢掉? 即使他怀疑后面有人追踪,他尽可把赃物随意抛在什么隐秘之处,以便事后觅取。现在他既已移赃在先生手中,他岂非劳而无功了吗?"

我道:"这一着就是他的狡猾之处。他把赃物移交给我,明明是要转移追踪人的目光,使人信为我是他的同党,追踪人的目的重在赃物,他自然可以安然脱身。否则不但赃物未必可保，他本身也有被捕的危险。一轻一重，他瞧得非常明白，他的计划实在厉害。这位邱老夫子不是已中了他的计吗？"

张宝全连连点头，表示赞服我的见解。他道："那么，我们眼前进行第一步，应得先打一个电话到高家去问问。包先生以为怎样？"

我答道："这是当然的办法。刚才你进来的时候，我本早要打电话去，现在还是让我来打吧。"

可是我正立起身来，要到周番室去打电话，猛抬头见一个人急匆匆地闯进办公室来。我定睛一瞧，正是我的好友霍桑。那时我的精神一振，仿佛一支被困在重围中的军队，突然间得到生力军的增援。我心中的快乐，一时竟难以形容。

张宝全早抢着招呼道："呀，霍先生，久违，久违。我万万想不到今夜里你也会光降。"

霍桑的脸上显着一种严重的神色。他走前一步，和张宝全握了握手，便阻住了宝全的寒暄，一语破的地谈到本题。

他道："宝全兄，我也想不到这时候会和你相见。包朗，你遭着了什么事呀？"他说时他的眼光不时地在我脸上身上流转不定。

我答道："还好，我得到了一件意外的赃物，又做了一回临时的罪犯。"

张宝全又抢着道："这件事我委实一百万分抱歉。那个笨伯我少不得要教他受些教训。现在请坐下来谈。"他说完话，又忙着移椅敬烟。

我就把刚才的经过情形又向霍桑说了一遍。霍桑聚精会神地听我报告，他脸上的神态，越听越见严重。

末后他作惊讶声道："还有一条珠项圈？怪事，怪事！但你们的料想，并不近情。我即刻从高家里来，也曾问起过这个问题，但不独你的内姨并没有失去项圈的事，连别的女宾们也没有这样的事啊。"

这一句话，不但破坏了我的猜想，连张宝全也目定口呆地惊诧起来。

我作怀疑声道："什么？你才从高家里来？难道你始终在高家里？"

霍桑摇头道："不，这里面的内幕非常曲折，我竟遭了一件奇怪的事情。"

我惊问道："唉，怎样奇怪？"

霍桑道："今晚十点半时，我接得施桂从我寓所里打来的电话，声言有人打电话到我寓所里去，有一件紧要的事求救。我因便悄悄离了高家，赶到寓里。施桂已把那打电话人的地址记了下来。我不敢延缓，立即依址而往。那地点是大统路七〇七号，姓关。包朗，你可知道这地点是什么所在？"

我想了一想，答道："那大统路本来不很热闹，七〇七号似乎更在偏西，那里一定更冷静了。"

霍桑点头道："是啊。你想冷静到怎样程度？"

我道："我怎能想得出？"

霍桑怒睁着两目说："那七〇七号是一所殡舍，就是浙绍山庄的寄柩所在！里面阒无一人。我就联想到那'关'的姓字。分明是'鬼'字的谐音。那人竟要我去干鬼勾当呢！"

霍桑的镇静功夫，平日常得到我的赞佩，有时候他的情绪无论怎样变动，都能保住着不使在面容上流露出来。这时候他的目光凝定，双颧上微微泛着些赤色，显得他心中的愤怒，正也没法遏制。张宝全也似受了暗示一般，握着拳头，在桌子边上击了一下，仿佛代霍桑表示不平。

我又问道："这样看来，这件事一定不是偶然的。你后来又怎么样呢？"

霍桑道："当时我便成立了两种假定：第一，也许有人故意使弄一种恶作剧的玩笑；第二，也许有人要在高家里弄什么花巧，却顾忌着我，特地把我调开。我因此赶回高家里去，悄悄地一问，却并没有发生什么事故。我又问起你来，据佩贤说，他竟不知道你在什么时候逃席。于是我着急起来，深恐你不幸遭了暗算。我一时不知道你的行踪，便先打电话到你家里去，你还没有回去，我更觉焦心。我又打电话到我自己寓所，施桂才告诉我你在这里。现在你还算没有多大损失。但那条项圈，却又是一个难题。这项圈在哪里呀？"

张宝全听说，早把桌子上的白巾包打开，取了项圈，双手交给霍桑。

霍桑接过了一瞧，作惊讶声道："唉，这东西价值可观，若照现在市价，足值一万！"他说到这里，忽把那项圈承在掌中顿了一顿，似在估量项圈的重量。接着他走到书桌上的电灯面前，把项圈凑近灯光，仔仔细细瞧了一瞧。他始终严冷的脸上，忽而透露出一丝微笑。

他发一种又似赞美又似讥笑的声浪说："好一条赛珍珠的项圈，代价也足值五十元以上！"

我不觉跳起来："假的？"

张宝全也涨红了脸，答道："唉，我的眼光委实太不济了。"

霍桑接嘴道："你们不用引咎。这东西委实做得很好，你们又在惊惶之余。我刚才也不是瞧错的吗？现在我们且不要空谈。这东西的来由怎样，那人弄这一出把戏又有什么目的，我们大家在这上面用些脑力吧。"

霍桑所提出的疑问，果真是很重要的，可是这内幕中的情由既很幻复，一时也得不到相当的结论。我们三个人经过了十多分钟的考虑，就假定有三种原因，就是除了霍桑先前所说的盗劫和恶作剧以外，又假定一种报复的猜想。

霍桑因说道："这个人设计非常周密，又很险毒，绝不是寻常朋友中开玩笑的举动。试想当时我的老友包朗，如果再前进一步，不是会发生性命的危险吗？"

张宝全点头道："是啊，这事当真险极。最可恨的，那邱奎实在太愚蠢无用了。"

霍桑道："这探伙的举动，如果当真出于愚蠢，那还可原，否则我不能不疑他有通同的嫌疑了。"

张宝全忙道："这一层绝不会的，我可以保证。今晚上我从高家门前经过，瞧见门外面车马拥挤，料想来客很多。所以我除了依照那高佩贤的请求，派了四个警士去照料以外，又派这邱奎去暗暗守护，以防万一，却不料他铸成了大错。但我派遣他，在黄昏时方才决定，所以预先的串通是绝不可能的。"

霍桑低垂了头，用手指弹去了些烟灰，不即答话。我因接口道："张先生能保证他不会串通，那再好没有。但最好叫他有些表示，那才能凭信。"

张宝全道："怎样表示，请包先生吩咐。我一定叫他遵办。"

我道："那奸徒当时既被他放走，理应由他负责追寻回来。我以为他在三天以内，应当把那人交给我们，至少也应查明他的踪迹。"

张宝全连连点头道："好，好。这个不但是他应负的责任，我的职分所在，也当同样负责。"

这一种办法，霍桑虽不曾参加意见，但分明是赞同的，他立起身来，把那书桌上的项圈，依旧用那块白巾包好。

他说道："宝全兄，既然如此，我们就分头进行吧。这东西暂时由我保管，你总可应许吧？"

我的失望

我们离了第四分署，霍桑用汽车送我回家。在汽车中时，我们重新谈到这个问题。

我因问霍桑道："这个人委实阴险可恶，我们若不能把他找着，给他一种相当报复，那委实是我们的奇耻大辱。试想他如果在朋友面前谈起，我们二人将被看作怎样人物？"

霍桑点头道："是啊，但事的胜负，在最后一着，你姑且放心。我想我们这一次的吃亏，不致就此罢手的。"

我道："这个人此番利用他的智诈，把我们愚弄。据我料想，他一定是我们的敌人，从前在什么地方吃过我们的亏，现在设计报复。你以为如何？"

霍桑低垂着头，缓缓应道："这当然是一种很可能的推理。"

我道："如此，未始不是一条线索。我们但从这方面去找寻好了！"

我说了这句，连忙住口，自己觉得我的说话未免太空泛。我们有几个仇敌呢？我们自己可能知道？眼前这个敌人，究竟在哪一时和哪一案结的怨，我们又怎样能想得到呢？幸亏霍桑似在那里深思，我的话仿佛没有听得。

他沉吟了一会儿，才仰面说道："我以为除了报复以外，还有一种原因！且慢，这个人你不是亲眼见过的吗？"

我答道:"正是。我如果再瞧见他,一定指认得出。"

霍桑道:"那么,当你在高家里时,曾否见过这人?譬如他和什么人同席,或和什么人接近过,你可还追想得出?"

我连连摇头道:"我完全没有注意到,连这个人我曾否在高家里见过,我也不敢自信。".

霍桑顿了一顿,又问我道:"你姑且说说,这个人穿什么衣服。"

我道:"他穿一件方格条纹的灰色春呢外褂,头上戴一顶深棕色的铜盆帽。"

霍桑皱了皱眉,又道:"里面的衣裳你没有瞧见吗?"

我道:"我瞧见的。他穿的一条栗壳色的裤子。"

霍桑又停了目光,低头寻思。

我继续道:"他的身材和我相仿,不过他的肩膊似乎没有和我这般阔大。"

霍桑忽抬起头来,瞧着我问道:"他的脸儿怎样?"

我答道:"脸儿是长形的,下颔略见尖削。"

霍桑的眼光忽地闪了一闪,仿佛他已得了什么端倪。他逼着问道:"他的脸上可有什么特殊之点?你可也注意到?"

我听了这问句,很得意地答道:"这一次我自信我的眼光不曾'渎职'。我觉得那人的脸上有两个明显的异点:第一,他的眼睛带些棱角形!"

这时霍桑突地失声呼道:"哈!那第二个异点,是不是他的鼻子尖端有些弯钩?"

这时候我假使不是坐在汽车里面,一定会跳起身来。我不禁拊掌欢呼:"着啊!你也瞧见他的吗?"

霍桑并不回答,又接着问道:"他的领结是不是白地而有细小的蓝星？"

我疑滞了一下，答道："大概是的。不过我不曾怎样仔细看。"

"他脸上的白色，大半是雪花霜的成绩，是不是？"

"正是。正是。"

"近身时还有一股浓烈的香气？"

我忙着应道："对啊，对啊！那再不会错——"

霍桑又很急促地接嘴道："他的抹透了司丹康的头发，不是向后平梳的吗——唉，我错了。这个你不会瞧见的。"

我不禁举起右掌，在他肩上拍了一下。我呼道："够了，够了，再也不会错误。这个人你可认识？"

我们的谈话正在紧张的当儿，我的身子一震，汽车竟已停住。我探头一瞧，这里已是林荫路，汽车正停在我的寓前。我下了汽车，便邀霍桑到我寓里去略坐一坐。我在这个时候还殷勤延客，无非要结束我的问句，那是不容讳言的。

霍桑忽辞谢道："对不起，我不能遵命了。我本应进去问问你夫人的贵恙，不过夜已深了，等明天来问候吧。"

于是我在和他分手以前，不得不将我的最后的问句重新提出。

霍桑摇头道："我不认识他。不过我在高家里的时候，我的目光并不像你的那么专注。我确曾见过他的。可是在实际上也没有多大用处。我的意思，我们要侦查这个人的下落，不妨从你的内姨佩芬身上着手。这一着只能你去担任。若有端倪，第二步的进行方法，我们再行讨论。"

霍桑提议往高家方面去侦查，固然是很近情的。不过他单叫我向佩芬去探听，一时我还有些怀疑。他莫非疑心到这个人和佩芬有什么关系？像佩芬这样的年龄和天真，料想不会和这种阴谋的人接近。霍桑的神经似乎未免过敏。可是他定下的方针，我除了遵从以外，实不敢擅自变更。

第二天早晨，我妻佩芹的病略见起色，寒热既退，我也放心了些。我吃过早饭，便赶到高家里去。这一回机会很好，我岳父母上夜里因着应酬忙碌，身子觉得困乏，所以还没有起身。佩贤却一早到了卫戍司令部去了。当我进去的时候，那女仆小妹告诉我，佩芬小姐起身不久，正在楼上梳妆。我叫小妹到楼上去通报了一声，便在楼下书室中等待。我约莫等了十分钟光景，便听得咯咯的皮鞋声音，很急促地走进书室里来。

伊的身上穿着一件纯黑的细"卍"纹的月华葛顾衫，长得齐了足胫。一双活泼的眼睛，笑盈盈地走近来和我招呼。

伊道："姊丈，你好早啊。我哥哥说，昨夜里你不别而行地逃席，今天要向你办交涉呢。"

我答道："昨夜我因为你姐姐有些寒热，放心不下，我又恐被同席的缠住了灌酒，所以就悄悄回去。今天我本准备来请罪的。"

佩芬脸上的笑容顿时敛住，忙问道："我姐姐怎样？可还有寒热？"

我道："今天早晨伊的寒热已退尽了，大致可以无碍。"

我说到这里，言归正传，就打算开始我探听的任务，可是一时不知道怎样启齿。佩芬似已瞧破了我的心事。

伊忽先问道："既然如此，你脸上怎么还担足了心事似的？"

我乘势道："昨夜里我遇到一件奇怪的事情。有一个人似乎要向我暗算。"

伊的目光转动了一下，忽把纤掌拍了一下，说道："咦！姐夫，你又带了什么奇怪的案子来吗？快说，快说。我已好久没有听得奇怪的故事了。"

我庄容道:"今天不是我来讲给你听,却是要你讲给我听的。"

佩芬的目光在我脸上凝注了一下,似乎已觉得我的话不是笑话,便也抑住了笑容。

伊问道:"什么? 我怎能讲什么故事? "

我道:"不是故事。我要请你指出一个人来。"于是我就把上夜里所遇见的那个人的面貌衣饰,向佩芬说明,问伊曾否认识。

伊低头想了一想,摇头答道:"我不认识他。昨天的男宾很多,我所认识的不到十分之一。我不曾注意到这样的人。"

"你再想想,在你认识的男宾们中,有没有这样面貌装束的人? "

"实在没有。我记得穿西装的只有江家的表兄和王家的小舅舅。还有我的同学宝珠姊的哥哥,还有对门秦家,欧阳家的两个邻居,年龄似乎都相仿,不过身材和面貌都不相同。"

"你说的那个同学宝珠姊的哥哥,叫什么名字? "

"他姓姜,名叫静源。他也在江苏大学里读书,高我一级。宝珠却是和我同班的。"

"这姜静源住在哪里? 你可记得他昨夜什么时候走的? "

"他们住在虹桥路。昨夜他们兄妹俩一块儿走的,那时候厅上的男席已散了大半。他是一个瘦长身材的人,比你高出不少,我们背地里曾给他起过一个绰号,叫作白无常。这个人怎能合得上你所说的人呢? "

我又不禁失望。一转念间,我又想到一种新的问句。

我突然问道:"你的男同学中间有没有这样的人物? "

佩芬想了一想,答道:"这个难说,我记不得许多。"

我道："那么，男同学中和你比较接近些的，可有面貌相同的人？"

佩芬的面颊上微微红了一红，反问我道："姐夫，你说的接近，指什么说的？"

我故意沉着脸色，索性直言谈相地答道："我老实说吧。在这男女同学的潮流之中，往往有许多不顾人格，不自量力的男同学们，抛了学问，专心在单恋上做功夫。芬妹，你可也有这样的经验？"

我这问句自以为冒着些险，如果被我的岳母听得了，说不定要加以申斥。可是佩芬倒也并不怎样。伊但笑了一笑，缓缓答道："这样的经验，我敢说每一个女子都有。我在每一星期之中，接到这样莫名其妙的无聊信，终有五六封之多。我起先还上当拆阅，后来只觉得他们的可鄙，所以我但瞧信封上笔迹生疏，便顺手付之一炬，从没有一封例外。所以那写信的人是谁，不但面貌，连姓名都不知道的。"

我觉得我的问句已穷，这一次的任务，大概终不能免于失望了。但我在立起身来告辞的时候，还发了一句最后的问句。

我道："那么，在你的意识之中，完全想不起有这样的人吗？"

佩芬仍持着前议，答道："完全没有。"

于是我就辞了出来。

惊喜的消息

我到霍桑寓里去回复的时候，已交十点半钟。他的仆人施桂告诉我，霍桑在清早时照例出去从事户外运动，至今不曾回来，连早饭都不曾吃过。我暗忖霍桑的行动，一定也在那里侦查这人的踪迹。不过他凭空无据，究竟从哪条路进行，我却推想不到。

我坐在他的办公室中，吸着一支烟，静悄悄等他回来。可是十一点钟过了，烟罐中的纸烟，已连续消耗了三支，却仍不见霍桑回寓。我耐着性子，直等到十二点一刻，才见霍桑喘吁吁地从外面进来。

我见他的脸容沉着，精神上似乎很疲乏，显见他朝来的工作一定是很紧张的。他卸了那件玄色的薄呢外褂，便把身子倒在那只安乐椅上。

我问道："你可是为了昨晚的事奔走？"

霍桑但点了点头，一边摸出纸烟来吸着。

我又道："可已有什么结果？"

霍桑摇头道："那是磨刀背的工作。现在还不能说。你的成绩怎么样？"

我便把经过的情形说了一遍。

霍桑皱着眉头，缓缓说道："这却奇了。难道我的猜想错误了吗？"

我捉住了这句，急忙问道："你的猜想怎样？我还没有听得你说过。"

霍桑顿了一顿，才道："据我料想，这个人既非行劫，又不是报复，却是一种因误会酿成的酸素①作用。"

我疑讶道："这话怎样解释？他难道会和我——"

霍桑接嘴道："正是和你。你倒有自知之明！这回事他固然由于误会，但你也不用分辩。昨晚上你实在和你的小姨太接

————————

① 酸素，氧元素的旧称。

近些了！据我冷眼观察，因着你小姨的漂亮，除了那个作难我们的人以外，还有好几个少年，都似羡似妒地向你侧目而视。不过你身处局中，自己不觉得罢了。"

我觉得有些不安，耳根上也略略有些热灼。

我答道："我也考虑到这点，当时曾竭力回避，只是那佩芬孩子气太重，兀自厮缠着不放。"

"这个我当然谅解你的。不过在别人的眼中，那没意识的妒意，也是很自然的。"

"如此说来，昨夜的事竟由我而起。但他为什么要作弄你呢？"

"那有什么疑问！他当然也想得到一人难敌四手，自然不能不设法先把我调开。因此之故，我满以为也许可以从佩芬嘴里，查明这个人的真相。你想伊不会故意隐瞒你吗？"

我急忙应道："这个绝不会的。伊的性情和天真的稚气，都可保证伊。我敢说'机诈'二字，在伊的心意中还没有地位。"

霍桑沉着目光，吸了两口烟，慢慢地点着头，应道："我也觉得伊如此。不过'恋爱之神'和'秘密之仙'，往往会发生葭莩之亲，并且因恋爱而出于秘密，也不能随便加上'机诈'的字样。既然如此，我们不妨假定有什么人向伊单恋，在佩芬还没有觉察哩。"

"这假定确很近情。不过既说单恋，范围就也不小。那人是不是伊的男同学？或是亲戚中的一个？或是佩贤的朋友？我们又何从着手？"

"着手固然难些，不过也并不是完全没有线索。譬如那条项圈，也未始不可做一种线索。"

我因着这一句话，又引起了先前的疑团。

我问道：“这项圈问题我至今还解释不出。我们既假定他因单恋而误会，把我当作他的情敌，因而设计暗算，那条项圈便是暗算计划中的一种重要东西。但咄嗟之间，他怎么来得及制备？若说他事先藏在袋中，专门和我作难，又觉不近情理。你想这东西的来由，究竟怎么样？”

霍桑低垂了头，又把烟尾丢进了痰盂，接着他抬起头来，他的唇角上嘻了一嘻。他缓缓答道：“这确是一个难题。据我看来，这东西绝不是为着你而特地置备的。不过在解释这个疑点之前，必须先查明这个人的真相。这个人的地位怎样、性情怎样，都有关系。譬如他假使是一个荒荡的浪漫少年，那么，他身上的赝伪饰品，也许不止这一条项圈。他如果遇到机会，便利用这些赝鼎，做他欺骗女子们的香饵。这是一种假定。”

我点头道：“这样的少年委实到处都有。这种人真是妇女们的仇敌，实在可杀！”

霍桑冷冷地笑了一笑，说道：“你何必做这种无聊的感慨？你这几句牢骚，对于社会，可会产生什么影响？”

我叹了一口气，又问道：“你不是还有第二种猜想吗？”

霍桑忽而立起身来，沉着脸色，发一种比较严冷的声音。

他答道：“假使这个少年的行径，比浪漫还进一步，他的目的不但在肉欲的满足，还着眼到金钱的问题，那么，这项圈的作用更可怕了。”

我又问道：“你可是说他准备着这条项圈，以便随时行使他的诈骗手段，以假换真？”

霍桑不答，忽向他的手表上瞧了一瞧，忙道：“唉，一点过了。我们再不必空谈。苏妈，赶快弄饭，吃过饭我还有事呢。”

那天午后，霍桑所说的有事，我并不参与。他只说有几条线路必须急急进行，但因着我的佩芹还未健全，不让我同去，只叫我回家去等候消息。到了这天的黄昏，霍桑来了一个电话，告诉我他对于那少年的下落已有七八分把握，料想不久，就可以完全查明。我暗忖七八分的把握，距离完全的结果，已相差无几，不能不算是可喜的消息。至于霍桑究竟用什么方法得到七八分的成绩，我除了惊异和佩服以外，再没有别的意念。

我又耐着性儿等了一天。到了第二天午后三四点钟，霍桑忽亲自到我寓所里来。他声言是来探望我佩芹的病的，实际上他却带了一个惊喜的消息给我。不过这消息他不即宣布，直到他告辞出去，我送到门外时，他才悄悄向我说明。

他低声道："你那晚上的经历，谅来也瞒你夫人的吧？"

我点了点头。

霍桑微笑着道："我幸亏知趣，不曾当面说破。"

我道："但这个人的踪迹，你不是已完全探明了吗？"

霍桑似乎模仿我的举动，照样点一点头。

我急忙道："这人是谁？他是怎样一个人物？"

霍桑道："这个人来头很大，姓车名叫时杰，住在大统路七一八号，从前在军界里当过小差事，故而和高佩贤相识，现在却在温律师那里当一名书记。那温律师还是他的表叔。"

"这人当一个律师的书记，也不能说怎样了不得啊。"

"这温律师单名一个章字。你可也闻名过吗？"

我才知这人专办那些奸盗的案子，在社会上很有些"歪誉"，确不是一个好惹的人物。我还没有答话。霍桑又继续说话。

他道："这个人是靠法律吃饭的。这一回事他既转了一个弯，用间接的手段作弄我们，不留什么迹象，在法律上他实在没有处分可言。所以我们的报复方法，也不能不想一个转弯方法。"

我又急急问道："怎样转弯？你可已胸有成竹？"

霍桑摇头道："还没有，这只能耐着性等候时机。急切从事，反而要坏事的。"

餐馆中所见

人们常说性情的缓急，往往因着年龄而转移。我的年龄虽然已不是血气方刚的少年，但卞急的性情，却至今没有改变。我好容易耐了两天，到第三天仍旧消息渺然。我因想起了那个笨伯邱奎，我曾和他约定三天的期限，必须查明那人的下落。我明知他不会有什么成绩，但也打了一个电话到第四分署里去。据那署长张宝全说，邱奎日日夜夜在外面奔波，却还没有查明，故而请我再宽限他三天。我听了这话，起先固觉得邱奎可恶可恨，现在却又只觉得他可怜。

这样又挨过了三天。到了第六天的晚上，我正在家中进膳，霍桑的电话来了，请我换一身衣裳，赶紧到卡洛顿西菜馆去。我心中暗暗怀疑，霍桑平日不甚喜欢西菜，怎么今夜里约我到这样高价的西洋人菜馆里去？但我一接电话，也没有工夫仔细推索他的用意。我和佩芹说明了一句，放了饭碗，换上一件黑毛葛夹袍，紧紧赶去。

这卡洛顿菜馆在静安路西段，地点比较冷静，食客们以西洋人和菲律宾人居多，我国的顾客不过十之一二。并且我国人到这里来的，目的不在示阔，却只是抱着特别目的的少年男女。

我一进门口，除了帽子，便踏进一间广大的餐室。餐室中布置得非常富丽，地上铺着厚厚的毯子，走路时绝无声响。淡蓝色的油壁，罩着幽淡的灯光。餐桌上白绸的台布，银质的刀叉，每桌上都供列着异色的鲜花。食客虽已有了六七成，谈话时却都放低语声，绝无我们旧式餐馆的喧闹叫嚣，却有一种幽静的趣味。

我站住了向四面一瞧，见这广室的右边的里角，霍桑正靠着一只圆桌，举着杯子正在饮水。他也换了衣服，穿一身藏青白细线条的哔叽西装。我走到他的面前，他只和我点一点头，我便坐了下来。这时那侍者正端了两盆牛尾汤上来，霍桑仍默默无言地开始饮汤。我虽抱着满腹的疑团，一时也不敢开口。等到饮完了汤，第二道菜刚才上来，霍桑忽把头前倾了些。低声向我说话。

他道："你先瞧瞧我的背后。可认识他？"

我移转目光，定睛一瞧，也是一个中国人，那人穿着一件黑色的长袍，身材非常高大。这人偶然回过脸来，我才认识他就是那个可恨而又可怜的邱奎！我正要发出那句"他怎么也在这里"的问句，霍桑忽又低低地说：

"你且别问。现在你试着再运用你的目光，瞧瞧这广室左边的外角，可也有认识的人？"

我果真依着他的指示，远远地瞧去，见那左面向外的角上，也有两个本国的食客。那是一男一女，女的穿着一件浅黄色的顾袍，衣角上还绣着黑色的蝴蝶，满头鬈发，蓬松得异乎寻常。这样的装束，在那时候原是上海最流行的。伊的面貌也很漂亮，这时正低着头，和伊对面的男子说笑。那男的穿着栗壳色的西装，光亮的头发，向后梳得非常齐整，斜侧着脸。凑着那女子，脸上含着一种媚笑。我再仔细一瞧，他的鼻子是钩形的，眼睛是棱角的，不由得不使我震了一震。

我低声向霍桑道："这就是车时杰？"

霍桑向我眨了眨眼，答道："你何必叫名唤姓？"

我一时怒气攻心，不期然而然地把我的座椅移开了些，准备起立。

霍桑又说："你打算怎么样？可是要动手？我劝你镇静些，再想想你自己的地位。"

我虽然被霍桑的话止住了，我的愤怒仍不能遏制，恨不得立时奔上前去，在这恶汉的脸上痛快地掴他几下。

霍桑又低低地向我道："你且平一平气，再瞧瞧他们。"

我横过脸去，又瞧见一种特异的举动。那阴谋的少年正摸出了一支小小的紫罗兰色的绒匣，嬉皮笑脸地递给他对面的女伴。那女的把绒匣开了，仔细瞧了一瞧，脸上又露出一种含着诱惑的巧笑。

霍桑自言自语地说道："这大概是一枚指环，连那绒匣计算，总也值两三块钱。"

我明知我们先前的料想已经证实。这恶少果真在利用伪饰欺骗那女子哩。我还没有接嘴。忽见那隔座的邱奎，旋过头来向霍桑问话。他道："你叫我来，到底干什么事？"

霍桑也侧了些身子，答道："据你自己说，那晚上的奸徒，你并不和他串通。那么，你如果瞧见了他，你又怎样对付他？"

他忽做切齿声道："唉，这可杀的，害得我好苦！如果被我瞧见，我必拼了性命打他一个半死。"

霍桑微笑着答道："半死，太重了吧？打一个对折，也就够了。——现在你且瞧瞧，那个西装的男子，你可认识？"

邱奎依了霍桑所指的方向仔细瞧了一瞧，忽摇头答道："不认识啊。这个人难道就是——"

霍桑止住他道："好，你等一等再说。"

我暗忖这人明明是那个恶少，邱奎怎说不识？莫非他果真是同党？

这时那侍者陆续地把菜端送上来。我一边吃着，一边偷偷地瞧着对角的一男一女。所以无论烟鱼炸肉，送到嘴里，实在也辨不出什么滋味。我又悄悄地问霍桑道："现在我们怎么办？若使今天再白白地放他过去，我却再忍不住了。"

霍桑低声答道："你打算怎样？"

"我现在实在顾不到法律问题。我准备先出一出气，打伤了他，受刑事处分，我也愿意的。"

"你的理智到哪里去了？这举动可也值得？你请安心吧。他既然用了转弯的方法作弄我们，我们也尽可抄袭一下，如法炮制。你姑且再耐一耐。"

我明知霍桑所说的同样用转弯方法对付，一定是要利用那邱奎。不过邱奎既已不承认认识这人，我们的计划又何从实施？

正在这时，我见霍桑的目光一闪，急忙从衣袋中摸出他的钱夹，准备付账的样子，他的神情顿时紧张起来。我回头一瞧，立即查明了那紧张的来由。原来那对角桌上的一对少年男女，都离座起立。那男的先将一件黑绒的斗篷给那女的披上，接着有一个侍者也给这男的穿上了大衣。那大衣正是灰色春呢，还有方格的条纹。一顶铜盆呢帽，也是深棕色的，和那晚上我所见的完全相同。这二人穿好了衣服，女的在前，男的后随，便从那玻璃门里出去。

种瓜得瓜

这时候霍桑已付了我们三个人的饭账，立起身来，穿上一件玄色薄呢的外衣。我也照样取了帽子。霍桑在隔座的邱奎的肩上一拍，又凑着他的耳朵说话。

他道："你再瞧瞧，那刚要走出玻璃门的男子，你可也认识？"

邱奎仔细一瞧，陡地立起身来，他的嘴里也不期然而然地发出一声惊呼。

我才觉得邱奎在那晚上只见这恶少穿外衣的背形，莫怪他直到此刻，方才认识。

霍桑又止住他道："轻声些，我劝你用嘴不如用手，并且须听我的命令，自图脱身。"

霍桑的说话没完，邱奎早急急地追出门去。霍桑向我丢了一个眼色，整一整衣领。我们取了帽子，也向着那玻璃门口走去。霍桑故意走在前面，脚步又故意放慢，分明要拦阻我的样子。我心中虽急得似火烧一般，但也没法抢前。

我们刚走出菜馆的大门，耳朵中忽接受了一种清脆的掴掌声音。我再忍耐不住，急急走下阶石，回头向东首里一瞧，马路上很静，那少年正在人行道上，他的胸口却已被邱奎的强有力的左手一把抓住。邱奎的右手的巨灵之掌，正连续在那少年的左右颊上用力批掴，嘴里又不住地骂着"骗子，骗子！"。这时那同行的女子也吓得靠住了墙壁，举起玉手，掩住了眼睛，似要昏晕过去的样子。

那邱奎殴击恶少的地点和餐馆的阶石，约莫距离三四家门面。我们在阶前站立了一两分钟的光景，霍桑忽故意咳嗽了一声，似乎发一个暗号给邱奎的样子。邱奎却似乎没有听得，仍手不停挥地在那少年的头部胸部乱击。说也奇怪，这阴险的恶少，除了把两只手在空中乱舞乱动，做一种无效力的抵抗以外，竟哑口无声。我远远望去，他的脸上分明已在流血，再进一步，也许要发生危险。

这时候霍桑的第二次咳声又发，那声浪也增了高度。这暗号立即发生了效果。我见邱奎的左手一放，右手的拳头，又和那少年的胸口做了一次最后的接触。这叫作车时杰的恶少，立即仰面跌倒在地上。那邱奎也同时放开脚步，向东走去。

当我们缓缓地走近那殴击的所在，这车时杰因着一个穿短衣的过路人的扶掖，已从地上爬了起来。那车时杰的红肿的左颊上面，挂着两条鲜红的血线，呼吸咻咻，见了也怪可怜。他似乎还要表示他的勇气，作势要追踪上去。其实这举动，无非要掩饰面子，实际上绝不敢追。但那短衣的路人，却在竭力劝阻。

我再向东一瞧，那个穿黑绒斗篷的女子，早已跳上了一辆黄包车，飞也似的转弯向天文台路逃去。霍桑走到车时杰的近旁，略略停了停步，似乎表示同情的样子。

他低低做叹息声道："唉，伤得可怜。不是争风吗？唉，那血不是从眼角里流出来的吗？好险啊！现在应先把伤口裹扎好，赶紧到医院里去。"

霍桑说着，便摸出一块白巾来替他裹扎。我认得这块白巾，就是包假珠圈的，竟想不到有这用处。同时我见霍桑又摸出了那条项圈，悄悄地在受伤者的袋中一塞。

霍桑又向这车时杰道："你且在墙上靠一靠，我去给你叫黄包车吧。"

我们就继续前进，到了路角，霍桑果真招呼了一辆黄包车。接着他便和我跳上那辆等待我们的汽车，立即驶向西门林荫路去。

这样的报复方法，在我是十二分满意的。我瞧了他的伤痕，心中也有些不忍，但一想到他先前的阴谋，又觉得这报复不算过分。

当汽车进行的时候，我向霍桑说："我很奇怪。他受了邱奎的殴击，怎么竟不敢发声呼救？"

霍桑道："这又何用奇怪？你想他自己正干着什么勾当？邱奎又口口声声骂他骗子。在这种形势之下，邱奎来势既猛，仓促间他又不知道邱奎是什么样人。他哪里还有倔强的胆力？"

我点了点头，觉得俗谚所说的"做贼心虚"，此刻果真已得了证验。

霍桑又说道："你不是觉得他被他打得可怜吗？其实我们这一次的计划，并不是单为着私怨的报复。他平素的行径，和蹂躏妇女的罪恶，种瓜得瓜，也应当受些相当的警诫。这一次的教训，也许还有造于他呢。"

我又点了点头，默念这车时杰实在是一个采花浪蝶，即使我们没有这一次的计划，他的作为迟早也会有报应的。如果他因着这一次的刺激，便改悔自新，那当真有造于他呢。

过了一会儿，我又问道："那么，这个人你怎样调查出来的？我还没有明白哩。"

霍桑道："这问题起初果然有些困难，后来我借着他的那块包项圈的白巾，做了一个引线，便迎刃而解。第一步，我本想借助那条赛珍珠的项圈，可是这赛珍珠饰品的发卖所，全上海共有二十一家之多，我磨了半天的刀背，终于没有结果。后来我幸亏从那块包项圈的白巾上面，得到了一条线索。你总瞧见那白巾是四面折边的。我在这折边一角的夹层里面，发现了一个号码。"

他随手取出铅笔，在日记簿上写了一个"L.72"号码。

他又接续道："我瞧那白巾非但很新，而且浆烫得挺硬，显见是洗衣房里洗烫的成绩。这号码大概是洗衣房里写着做识别的。"

我不觉点头赞同道："你好细心啊。不过上海的洗衣房也不知多少，比较出卖赛珍珠的店铺，要加上几倍。你又用什么方法，调查出来的？"霍桑道："这线索果真比较难些。幸亏我还有另一条辅助的线索。"

我惊异道："还有线索？"

霍桑点头道："是啊。你不记得他使用调虎离山之计的当儿，曾叫我到大统路七〇七号浙绍山庄去过吗？这大统路的地点很僻。那浙绍山庄的门牌号数，他如果不时常瞧见，怎么会记得这样清楚？

"因此我料他一定就住在大统路上，或者至少也时常在那里经过，故而那山庄的门牌，他记得很牢。仓促间他想不出别的地点，便把他那寄柩的山庄，故意戏弄我一下。因着这层，我就往大统路附近的几家洗衣房去仔细调查。我查问了九家，便告成功。那洗衣房唤作陆鸿记，那个'L'就是'陆'字拼音的缩写，七十二号便是他们主顾的号数。我才知道这人叫作车时杰，住在大统路七一八号里。接着我又费了些工夫，查明了这人的历史和现状。我又在他家门口当面瞧见他一次，才确信是这个人完全没有错误。

"后来我特地派了两个人——一个就是金声，守在青云路温律师事务所外面。另一个是我向张宝全借用的，名叫徐虎，守在车时杰的寓所门外，叫他们随时把车时杰的踪迹报告我。直到今天晚上，那金声打电话通知我，车时杰同了一个女子进卡洛顿去了。

"我认为时机已到，便把我早先预备的计划实施出来。你想我们这一次的遭遇，如此结束，可也满意了吗？"

我不禁拍着霍桑肩膊，笑道："老友，我真十二分佩服你。不过这一次举动，那车时杰因着项圈的归还，当然会知道出于我们的报复。那么，他如果来找寻我们——"霍桑忽阻止我道："你放心，我原是要他知道才这样干的。我们同样不负法律上的责任，你不用忧得。唉，这不是你的寓所了吗？你快下车吧，请代我向尊夫人问候一声。如果你怕那车时杰再来报复，你有什么准备对付的方法，那是另一问题。你明天到我寓所里来，我让你尽量地发挥便了。"

八十四号

雨夜的奇遇

在第一次暴风雨后的一个——五月二十五日——阴沉下雨的黄昏，我忽而遭遇了一件出乎意料而当时竟使我无所措手的奇事！

这时虽交初夏，气候却阴寒得像二三月的光景。一连几天，日光匿迹不见，天空中只堆积着厚厚的黑云，冷冰冰的暗淡无光，恰像那时候才过险恶期的时局，同样足以引起人们的惶恐和烦闷。二十五日的下午时分，已有些溟蒙的细雨了。我穿着国产薄呢的外褂，卫生衫也没有卸下，背脊上还感受一阵阵的寒凛。那时我在爱文路霍桑寓里，和他商量救济灾民的办法。同时我又和他谈起那些囤积的奸商，只知图利，不顾社会，提起了真叫人痛恨。我又告诉他我正在着手写一篇《血花与国魂》长篇小说。这小说的主题，希望唤醒那消沉了的国魂，发挥些民族精神，对于一般流行的沉溺在两性问题和享乐问题的颓废作品，给予一种反照的暗示。这一篇小说的动机和结构，霍桑也曾参加过意见，所以那时候我既已开始动笔，便顺便报告他一声。不料我和他分离了不到五个钟头，我忽而遇到这件奇怪事情。那真是我所梦想不到的！

我从爱文路出来，回到西门林荫路九十九号我自己寓所的时候，天色已经断黑了，毛毛的细雨，忽而起劲地变成了粗点，马路上早已落得像泥浆一般。我一进门口，楼梯上并无足音下来，已使我感到一种异常的景象。因为我和我的妻子佩芹虽已结婚了十多年，但我们的感情，却仍保持着初婚时的热度。我每次回家，伊在楼上一听得我开门进去时的带着暗号性的脚步声音，总要急忙忙赶下楼来，带着笑面相迎。除了伊偶然患病以外，这动作已成了很自然的习惯，从来不曾有一次例外。但这一天客堂中的电灯虽然亮着，却静悄悄没有声音。我走进了客堂，故意把皮鞋在地板上重踏了二下，楼梯上却依旧静寂无声。

我暗自忖度着："难道伊的胃病又发作了不成？"

这时那个性情忠实而行动略嫌迟钝的松江王老妈子，从屏门背后转身出来，走近来向我报告：

"主人，夫人已往黄河路高太太家去了。伊走了还不到一刻钟呢。"

黄河路高家是我的岳家。但佩芹回母家去，事前怎么从不曾和我说起？

那王妈的报告，分明还没有完毕。伊继续着说：

"今天朱家的七小姐到高家去。高太太留伊吃晚饭，故而特地把夫人接去，以便和七小姐谈一会儿心。——高太太用汽车来接夫人去的。"

我这才明白佩芹回母家去，原是一种突然发生的事情，事前伊当然也不知道。

"但伊明知我在霍先生那里，怎么不打一个电话给我？"

"打过的，但霍先生说你已走了。"

王妈的解说，我已认为满意。因为佩芹在一刻钟前方才动身，那时我恰已从霍桑寓里出来，伊的电话我自然无从接洽。

这天的晚饭，我略略感到些寂寞，所以时间上特别迅速。

晚饭已毕，我便一个人进南厢房的书室里去，准备趁这余暇，继续我的著作。我照例吸尽了一支纸烟，便开始写《血花与国魂》的第三章。

那时窗外的雨势更加大了。白铁管子的檐槽中，积水既多，来不及输送，便倾溢而出，泻落在下面水泥的人行道上，发出宏大的冲激声音。我们寓屋门前的人行道上，本有一株足四尺粗的法国梧桐。这时树上的新叶，受了风雨的激荡，也酝酿出一种助长风威的吼声。我因着文思的奔涌，握笔直写，经过了两个半钟头，第三章已告完毕，所以对于外界的景象，绝不关心。

十点钟过了。我搁了笔站起身来，走到窗口。那玻璃上的雨点，依旧淙淙作响；窗外梧桐树上的吼声，更觉得威胁怖人。这时我有些不安起来。这样的雨夜，时候已经不早，因着疑危的局势，路上也不很平安。怎么佩芹还不回来？在晚餐时王妈曾告诉我，佩芹临走时说明，晚饭后就要回来，也用不着我去接伊。这时候伊仍迟迟不归，我不能不有些担心。

我自忖道："料想伊仍会坐了汽车回来的，不见得会有意外危险吧？"

我重新在书桌前坐下，提起了笔，打算开始第四章。可是因着我对于佩芹的惦念，心思已不能集中，写了不到三行，便重新搁笔。我的书桌就在靠东窗的一边，窗外就是沿林荫路的那条狭窄的水泥人行道。我一边靠着那螺旋椅的椅背默默地吸烟，一边留心听马路上往来的汽车声音。这样经过了两三支纸烟的时候，书桌上的那只小钟当的一声，已打过十点半钟。我的佩芹却依旧不见回来。那几天解严不久，夜深行路，还很不平安。前天晚上西门路某号，曾发生过一次盗劫。因此之故，我期望的情绪，不禁渐渐地变成惊恐。

"伊有意外吗？为什么还不回来？如果伊要在母家过夜，也应给一个信息回来。"

我这样反复思忖，越想越觉可虑。一会儿，我便定了主意，与其这样子无聊地坐守，不如往黄河路走一趟，亲自去接伊回来。我瞧瞧时钟，已指十点三十五分。于是我丢了烟尾，离椅起立。五分钟后，我已穿好雨衣，准备出发。但我为审慎起见，又做一度最后的考虑。我既感到这样的雨夜，路上不太安全，自然以雇一辆汽车为宜，同时我还须小心地戒备一下。

我开了抽屉，取出了那支子弹常满的自动手枪，顺手纳在袋中；又预备先打一个电话到高家里去问问，如果佩芹还在那里，我再雇汽车去接。

我走到电话机旁边，刚才握着了听筒，我的耳朵中忽感受了一种声音，不由得不使我诧异停顿。

那声音是一种咯咯咯的高跟皮鞋的步声，就发生在窗口外面的水泥径上。这步声从南面过来，自远而近，非常急促，有

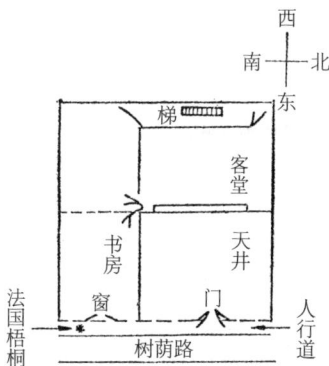

使人不得不注意的魔力，因为从这声浪推测，分明有一个女子在那人行道上冒雨急奔。

我放下了听筒，疑讶地想："谁？难道是佩芹——？"

在这一刹那间，情势更紧张了！那脚步声音越发迫近，已到了我书房的东窗外面。更奇怪的，那脚声突然在窗外面停止，不再继续进行。这一种暗示，立即排除了我心中的疑虑，使我不假思索，急忙忙走出书室，穿过客室和天井，去开那两扇石库门的前门。

我的两足刚才踏出大门口的那块阶石，眼光已瞧见那人行道旁的法国梧桐树底下，明明有一个女子站着——不，伊不是站着，仿佛把身子倚靠着树干。

那里本有一盏路灯，不过距离那梧桐树约有六七码远，又因着树叶的掩蔽，瞧去自不能怎样清楚。不过那女子的高度，身材，和深色的长颀袍，明明是我的——

我不禁脱口呼道："佩芹！你——"

伊的脸儿本来向南面瞧着，一听得我的呼声，便突地旋转来瞧我；接着，伊便放开脚步，急匆匆跨上我所站立的阶石。

唉！我误会了！伊不是我的佩芹；不但不是，我一瞧伊的面貌，并且从不相识。可是伊的举动又使我出乎意外。伊踏上了阶石，似乎向我点一点头，随即更进一步，不待我的邀请，竟自动地走进了那开着的门口。我在诧异之余，也只得跟着伊退进门口。

难堪的一刹那

那时候雨点似乎已减细了不少，但呼呼的风声，却仍使人听了生怖。我和这个面不相识的女子面对面站着，一阵阵醉人的香气，直刺我的鼻管。我心中充满了疑惑诧讶的情绪，仿佛已踏进了《聊斋志异》中所述的幻境，一时竟不知所措。虽然如此，我自信我镇静的定力，究竟没有完全丧失。

我开始问道："请问你……你……"

我不知怎样称呼，一时有些犹豫。但那女子不等我的问句完毕，又有一种奇怪的动作。伊走过一旁，推着那扇黑漆的大门，又谨慎又急促地把门关上；同时又把那弹簧锁旋了一旋，竟反客为主地把门锁上了。这动作自然增加了我的惊异，可是伊的开口的第一句话，更使我吃惊不小。

伊发出一种低弱而颤动的声音，说道："包先生，对不起得很！"

怪了！我不认识伊，伊却认识我的。那么，伊这样子不邀而进地闯进来，分明有着某种目的。

我第二次问道："请问女士贵姓？"

伊摇了摇头，默然不答。

我又问："有什么见教？"

伊第一次回答："包先生，请你行一个方便，援助我——"

伊操着很流利的国语，但说了半句，忽而停着目光向外面倾听的样子，同时伊因香粉而显得分外白嫩的脸上，也露着惊恐的神色。

"包先生，你可允许我在里面坐一坐？"

我们本站在天井里立谈。我因着过度的惊异，那漾漾的细雨落在脸上，竟也不知不觉。这时伊明明在某种危急的情势中，伊既然自动地请求，我对于女性又素来尊重，此刻当然不便回绝。我应了一声，便在前引导，走到客堂里来。

　　我和那女子的见面，虽已经过了一二分钟的时间，但伊的面貌和衣饰，我还没有瞧得清楚。当伊在靠南边的近厢房门口的椅子边上坐下来时，我才乘机向伊细细地端详。伊的身材适中，肌肉却很丰腴，穿一件深蓝色素绸镶黑边的夹顾袍，长到足胫，足上穿着一双黑色的皮鞋和灰色的丝袜，装束上可以加得"朴素"的字样。伊的脸儿带着圆形，皮色略黑，一双乌黑的眼睛，活泼而有威力，两条细长的浓眉，却是天然而非画出来的。伊的嘴似乎较阔些，不过这时候嘴唇紧闭，还不怎样显露。伊的额角上覆着一层厚厚的黑发，脑后的短发，用一种发针束着，并不像一般时髦女子那么纷披肩上。伊的耳朵上挂着一副镶水钻的长环，在电灯光中闪烁耀目——这东西似乎是伊身上唯一的"来路货"①的饰品。这时候伊的脸上充满着惊惶的神气，尤其是那双美而有威的黑目，表现出伊内心的十二分紧张。

　　我默想这女子在最近的数分钟中，大概曾遭受了什么意外的惊变；否则，要是不然，问题就严重了。伊莫非有什么惊人的图谋，行将实施？不过伊这样子到我的家里来，究竟有什么作用，我还猜想不出。我的疑问还没有提出，伊又有一种意外的表示。

　　伊的身子虽坐在椅子的边上，但伊的头部向前突出，侧着耳朵向外倾听，伊的右手却插在袋中。一会儿，伊忽又立起身来，用左手向我摇一摇，似乎禁止我发问。

　　伊低声说："包先生，请你把电灯熄了！"

　　这要求自然是出乎常情之外了。不过伊的语声中，含着哀

_____

①　指非本地产的货品。

恳的意味，竟使我不能拒绝。我立起身来走到厢房门口，把电灯的机钮一扳，客堂中完全黑暗。不过厢房中的灯光依旧亮着，还有余光透露到客堂里来。

伊又婉声说道："请你把里面的电灯，也暂时熄一熄吧。"

我觉得这要求似乎太过分了。一个素不相识的女子，贸贸然闯了进来，竟和我面面相对地同处在黑暗之中，这成什么事体？并且伊的行动太觉突兀，究竟是善意还是恶意，我还没有把握，这要求我自然不能像先前一般地容易允许。

伊见我踌躇不动，忽而走近一步，挨近我些，似乎要继续请求。这时候楼梯上有脚步声音传过来。我知道一定是王妈因着听得了开门声音，认作是佩芹回家，故而走下楼来。那女子似乎因着受不住惊恐，忽而更加挨近我的身旁，使我有些发窘。

我忙吩咐道："王妈，没有事。你上楼去吧。"

那女子又喘息着说："包先生，你快些熄灯！……快些！……你难道不听得？"

我敛神一听，果然听得有沉浊的步音，隐隐地自远而近。那是男子的脚步声音，并且好像不止一人。我觉得在这情势之下，果然非常紧张，为权宜计，我就立即走进书室，赶紧把电灯熄灭了。

室中完全沉黑了，我的行动自然不能不有些顾忌。我仍留在书室里面，留意听外面的脚步声音。那步声从南面过来，果然越发近了，越近越见得急促。我料想那外面的几个人，似乎在追迹这女子，才使伊这样子惊惶。但为了什么事呢？那外面的人莫非是什么暴徒？伊怕遭他们的劫掠，才逃避到我屋中来的吗？或是伊干了什么不法的勾当，就利用我做一种护身符？

外面的步声已到了我书室的窗口外了。我细细地辨别，似乎有两三个人。这几个人已在我的门口站住，正在那里喃喃讨论，不过听不清楚。我的好奇心已被引动，很想揭起了窗帘，瞧瞧是什么样人。但我这计划还没有实行，忽有另一种声音刺激我的耳管。

原来客堂中的那个女子，已一步步走进书室中了！伊的步声虽然出于十二分谨慎，但那皮鞋的木跟，踏在地板上面，究竟不能完全没有声音。接着我觉得伊已走到我的身旁，伊的紧促呼吸我可以听到了，伊身上的香气也已和我嗅觉发生了直接的关系。据我在暗中估量，伊和我的距离，至多不到一尺！

我的地位真窘极了！我如果有什么动作，无意中也许会触及伊的身体，那岂不要闹出笑话？我记得在一次案件中，我也曾和一个素不相识的女子肩摩肩地坐在一辆汽车之中，这窘态已使我不能忘怀。不过那时候我处于主动的地位，那女子在我的控制之下；现在我却处于被动地位，当然更觉难堪。更难堪的，这时候我又听得楼梯上王妈的脚步声音，缓缓回楼上去。我才知道当时王妈听了我的吩咐，并没有立即遵从；分明曾在楼梯上窃听过一会儿。伊一定曾听得了那女子的说话声音，又听得我到厢房中来熄灯，接着，那女子又轻轻地走进了厢房。这时候我们俩正同处在黑暗的室中。在这种种情形之下，那王妈的旧脑筋里，将发生怎样的想象？我想起了这点怎不难堪？

自从我听得那女子在外面水泥径上的脚声，直到我走进厢房中熄灭电灯，实际的时间不过三四分钟。我熄了灯以后，和这突如其来的女子在黑暗中相持对立，也不过一二分钟。可是这一二分钟，在我当时心理上的感觉，仿佛延长到几个钟头之久！幸而那外面的几个男子的脚步声，不久又继续前进。我因着受不住这软性相持的难堪，便不顾利害，跨开一步，伸手摸着了电灯的机钮，用力一扳，重新恢复了书室中的光明。

闷葫芦

我开电灯的举动，原不曾顾到那女子的反对与否，但电灯明亮以后，伊倒也并没有反对的表示。分明伊也听得那追踪的脚声，已自南向北地渐渐远去，伊的难关显然也已渡过。伊果真站在我的身旁，相距很近。我瞧伊的脸上，恐怖的神情，已消释了大半，并且唇角上也带着一种微笑，两腮间还显出两个浅涡。伊重新向外面倾听了一下，又低声向我道谢：

"包先生，我很感激你！我一向很钦佩你，你真是一个言行相符的男子！"

这两句话是不是伊的有作用的迷汤，我也不暇深思。但我既完全蒙在闷葫芦中，自不能不找一条出路。现在伊既然有自动表白的倾向，我怎能轻轻放过？

我乘机答道："那不算什么。但请问你——你究竟遭遇了什么事情？"

伊的目光和我的目光接触了一下，忽而立即避开，接着伊忽低下了头，似在咬伊自己的嘴唇。

我又道："你不是畏怕那外面的几个人吗？"

伊的头仍旧低垂着，默不答话，伊的左手在伊身上那件深蓝色顾袍的边缘上不住地抚摩，右手仍插在袋中。

我有些纳闷，但仍耐着性。我又问道："他们莫非要难为你？"

伊依旧不答，但仿佛略略地点一点头。这一种动作，足使我增加了些勇气。

我继续问道:"那么,为什么事呀?莫非他们是些强盗——或是——?"

伊仍保持着使人失望的静默,但伊的眼睛好像曾从眼眶角里向我一瞥。

我又问:"或者他们是你的仇人,有什么欺负你的举动?对不对?"

伊始终沉垂了头。伊的右手依旧摸在袋里,左手中已拿出一块白纱巾,按住了伊的嘴唇。我见伊曾一度想抬起头来,却似乎终于没有勇气答话。

我连发几句问句,没有得到一句答话,不但不能解释我的疑团,还使我非常扫兴。我故意走动,和伊离得远些。我在书桌上取了一支纸烟,一边擦火烧着,一边横过眼光瞧伊;伊也正在偷瞧我的举动。但一刹那间,伊忽扭转了头,又像避我的目光,又像要走出去样子,我觉得时机已急迫了,不能不再接再厉。

我提高了声浪,说道:"女士,你既然信托我到这里来暂避,那就不应这样默默无言。须知我生平虽主张尊重女性,但也不是无条件的盲目尊重。譬如有一个女子犯法作恶,或是干了什么不名誉不道德的事情,却想利用我做伊的护符,那我也不能——"

伊忽而抬起头来,打破了静默,一双黑目直视在我的脸上,抢口说道:

"包先生,你不要误会!"

"误会什么?"

"我不是这样的女子。"

"那很好,我只是举一个例,原不是指你说的。你究竟遭遇了什么事情呀？"

我的问句到了尖端，又使伊恢复了静默态度。伊的身子斜靠在书橱边上，左手依旧按住了嘴，右手也不曾脱离那件深蓝色夹袍的袋口。

我催促道："你为什么这样子默默无言？你既然认识我，总知道我是个什么样人，我自信我是一个能守秘的人。如果你的事有秘密性质，我当然也能给你保守秘密。"

伊的呼吸似乎又增加了速度，伊的脸上有什么表示，我虽不能瞧见，但伊的身子在微微颤动，却再不能掩饰。似乎伊所遭遇的事情，性质非常严重，情势上万不能宣露，不过因着我的步步追促，又觉难于应付，才显出这种不安的模样。我仍捺不住我的好奇心的冲击，不愿意就此中止。我觉得正面的进攻既然没有希望，不如采取侧击的战略。

我吸了一口烟，改变了语声，说道："好，你既然不肯明明白白地说，那么就给我一些暗示——譬如这件事或者有生死关系，或者是金钱关系，或者竟属于恋爱问题——？"

那女子突然抬起了头，把左手中执着的白巾，在空中挥了一下。

"包先生，你不要逼迫我！我来告诉你……"

"好，什么一回事呀？"

"那八十四——"

伊说了半句，那左手中的白巾忽又按到了嘴唇上去，伊的头也同时低沉。伊的情绪，分明在一刹那间又起了变异。

我又敦促着问："八十四？……什么？"

"包先生，我不能说。"

我有些着恼："那么，你是否是特地来愚弄我？"

伊颤声道："不是，不是——请你原谅！——请你暂时原
谅我。我允许你，这件事的真相，最终我决不瞒你。不过此刻
我实在还不能发表。包先生，我真是万分抱歉！我——我要走
了。"伊说完了话，向我略瞧一眼，便鞠了个躬，向着厢房门
口走去。

我在失望之余，一时竟无所措手。我既没法使伊吐实，又
不便动手阻拦。我只索放了纸烟，跟着伊走进客堂。

这时外面的雨点已停，风势也减低了些强度。伊举步很
快，一刹那间已踏进了天井。我因追前一步，直到伊的身后。

我问道："你往哪里去？"

伊做简语道："回去。"

"你住在什么地方？"

"我——我也不能说。"

"你想路上不会有危险了吗？"

伊摇了摇头。伊的左手已在旋动门上的弹簧锁，着手开门。

我道："可要我送你回去？"

伊一听这话，突地旋转头来瞧我，带着惶恐的声音，答
道："谢谢你，不消得！不消得！"伊说着，一边匆忙地拉开
了大门，仿佛逃避似的走了出去。

我当然不便动手将伊拉住。但伊的真相和这种诡秘的行
径，究竟有什么目的，我始终闷在葫芦里面，又觉得牙痒痒的
不甘心，于是失望、懊恼、薄愠和悬疑，在我的心头杂糅地活
跃着。

伊站门外阶石下面，向左右探望，又像防人瞧见，又像寻
觅车辆。我很想悄悄地尾随着伊同去，以便得到一个侦查的线
索。但一想到我的佩芹也许即刻就要回来，事实上又有不便。

这时我忽又想起了一种间接侦查的方法。

我忙着说道："你不妨再站一站。我来给你雇一辆车子。"我的意思原打算只需记明白那车夫的号数，事后就可以追究伊的踪迹。

伊忽旋转来摇摇头，答道："谢谢你，不必费心。再会。"伊点一点头，便向南面姗姗地走去。

这时候我还打算陪着伊走几步路，但我刚才离了阶石，陡见一辆汽车突然从南面大吉路转弯过来，停在我的面前。我不由得停了脚步，定睛一瞧，那汽车中走下来的一个袅袅婷婷的女子，真是我的佩芹。

推　想

佩芹的突然回来，不但打破了我跟踪那女子的计划，同时又引起了一种小小的误会。因为伊下了汽车以后，曾站住了目送那个不知姓名而行踪诡秘的女子。

伊忙着说道："伊是谁呀？怎不再留伊坐一会儿？你快给我叫伊回来。"

我自然有些发窘，但当着那司机的面，一时间却不便解说。

我应道："不必了，我们里面去谈。"

佩芹因着我的含糊不答，似乎已引起了些疑讶，等到我们走进了厢房，伊又继续发问：

"伊是谁？你怎么不告诉我？"

我解说道："这件事很奇怪，这女子我素不相识，伊因着某种事情，到这里来暂避一避。"

"素不相识的吗？那么，你现在终跟伊已相识了吧？"

"不，我至今还不知道伊的姓名。——但你和七姐怎么谈了这许多时候？"

佩芹的好奇心分明已被打动了。伊因着我的闪避的答话，更引起了一种误会的反应。

"你怎么用别的话岔开？这女子倒很有趣。你说伊为着某种事情到这里来暂避，那又是什么事呢？"

"我不知道。我也很觉奇怪，我正要打算侦查伊的底细。现在你不要把这事放在心上。天气变得冷多了，我瞧你身上穿得太单薄。你不曾受寒吗？"

伊摇了摇头，默然不答。伊的一双流波似的慧目，兀自注在我的脸上。我觉得这件事委实太奇太巧。当时我以为我若郑重其事地解说，也许反落迹象，引起伊的误会。故而我保持着若无其事的态度，以便使这件事淡淡地消灭过去。不料我这计划是绝对错误的，反而因此增加了佩芹的好奇而且猜疑心的活动。

伊停了一会儿，又问我道："这件事真奇怪，你很像在实演你平日所记述的侦探小说了！但你又用什么方法侦查呢？"

我做简语道："我还没有成见。"

"伊住在哪里？"

"我不知道。"

伊静默了。伊的眼光，从我的脸上瞧到书桌上的那只小钟。

"那么，伊在什么时候进来的？"

我又瞧瞧那钟，这时已指十点五十八分。

我道："伊在十点四十分光景来的。"

"这样，伊在这里至少已耽搁了一刻钟。这一刻钟中间，你和伊谈些什么话呀？"

"我们没有多谈。我虽曾一再问伊，伊却始终不肯说明。"

这时我竟不曾说起熄灯的事情。这不是我没有勇气，就因我本着不愿使这事扩大的宗旨，故而不愿多谈。但佩芹倒像小题大做似的还不肯休止。

"真好笑。你怎么跟伊默默相对了十五分钟，连伊的姓名都不曾知道？"

"是的，我完全不知伊的来历。"

"但伊却跟你很熟悉呢。"

"笑话，你怎么会有这种见解？"

"伊临走时不是还和你说再会吗？"

"这是伊无聊的应酬话。"

"但你也陪送伊出去的。你好像还打算送伊去。——这大概也是无聊的举动了！"

我觉得伊的说话，已从好奇而变成误会。我忙说道："芹妹，你不要误会。你当然可以信我，我绝不会有什么暧昧的举动。这女子的来踪去迹，的确很奇怪。不过伊的行动，是否受了人家的欺负，或是伊自己干了什么犯法勾当，我至今没有一些头绪。刚才我送伊出去原想设法尾随伊的踪迹。你如果想到了牛角尖里去，那真要闹大笑话了。"

伊的误解似略减少了些，伊的脸上也泛出了些笑容，却仍默然不答。

我又笑道："你别再胡思乱想吧。这件事明天我去和霍桑商量一下，终有个水落石出。夜深了。唉！你的手冷得像冰！快些安睡吧。"

我对于那奇怪女子的行径，本来有彻底查究的倾向，这时因着我要消除佩芹的近乎猜疑的印象，更加增了我的决心，使我不得不急速进行。

下一天早晨，天气已转晴了。我就赶到霍桑寓里，忙着把夜来的奇怪经历和他商量。

霍桑已从照例的清晨散步回来，洗过了澡，披了一件浴衣，拖了拖鞋，横在办公室中的那张靠南窗的藤椅上读报。他一见我进去，便仰起身来，放了报纸，笑嘻嘻地向我招呼。

"包朗，你好早！莫非你分担的救济捐已有了成效？——唉！不对！你昨夜一定不曾好睡。你怀着什么心事呀？"

我答道："正是，我昨夜里遭着了一件奇怪的事情。我反复推想了一夜，依旧是一团黑漆。"于是我就把那经过的事情，从头至尾向霍桑说了一遍。

霍桑一边吸着他的白金龙纸烟，一边很注意地倾听。在我的意料中，他听了我的故事，一定要表示惊异的同情。可是出我意料，他不但不觉得严重，脸上反显出一些笑容来。我因此感觉到世界上任何事情，虽身受感到如何严重，如何深切，但在局外人看来，总免不掉隔膜。莫怪那些穷汉灾黎们向席丰履厚的阔佬们去诉苦，结果往往要等于耳边风了。

他缓缓吐了一口气，仍带着笑容说："真有趣！包朗，你的艳福委实不浅！黑夜中竟会有美女自己送上门来——"

我不禁发怒道："霍桑，你怎么还说这样的轻薄话？这件事我认为非常严重。我的佩芹已因此发生了些误会。"

"唉！原来如此！那当真严重极了！"

"你还打趣！你还看作是儿戏事吗？"

"不，我也承认这件事非常诡秘。"

"那么，你为什么再这样子轻佻？"

霍桑忽仰直了身子，把烟尾丢进了痰盂。他唇角上的笑容，依旧不曾完全消失。

他道："包朗，你的躁急的脾气，究竟要到什么年龄才能改变？我觉得你因着夜来的经历，精神上已受了重大的刺激。你可知道这种紧张的情态如果延长下去，你的体格上会有什么影响？并且这种态度在探究这事的根由上，又有什么益处？我的意思，就想使你的神经松弛一下，然后才能进行计划。很不幸的，我竟不能得到你的谅解！"

这几句话果真把我的无名的虚火降低了些。霍桑的打趣态度，原是有善意的动机，我竟误会了他。

霍桑又说道："现在请你镇定一下，我们来细细地讨论。在我看来，这件事诡秘有之，严重不足，无论如何，你用不到这样子惊惶紧张。"

我答道："虽然如此，但我仍觉严重。我事后回想，记得那女子的眼光中露出一种可怕的凶光；并且伊的右手始终插在衣袋里面，也许藏着什么东西。"

"什么东西？你以为是手枪炸弹一类的爆炸品吗？"

"我不知道。也许是的。"

"但你说伊穿的是高跟皮鞋，时式的顾袍，伊身上又有香气，那又岂像是一个干危险勾当的刺客？包朗，我劝你不要过分认真才好。"他摇着头。

我略略沉吟了一下，又道："但伊的言语行动既然如此可疑，也足以证明伊或许有犯法的企图。"

"这也难说。现在的所谓摩登女子，大半把恋爱当作人生唯一问题；而且一涉到恋爱，总非多角不可！但你总知道三角四角的恋爱，往往会演出惊人的把戏。昨夜你所经历的事，也许只是这活剧中的一幕罢了。"

我不即回答，低头静思霍桑的见解。霍桑又烧着了另一支纸烟，吸了两口，又继续发表他他的意见。

他道："据你所说的看来，你昨夜的问句，我认为非常得当。但你虽尽了全力，却只换得伊的'八十四'三个字的答语。对不对？"

我应道："正是，伊真可算得守口如瓶。这三个字也是伊在无意中吐出来的。——霍桑，你想这三个字里面，可能寻得出什么线索？"

霍桑衔着纸烟，把他的那件棉织条纹的浴衣的前襟裹紧了些，目光停滞在地板上一条宁波出品的回文的地席上面。他在默默地沉思。

他喃喃自语道："这八十四的数目，也许指人，也许指什么东西，也许……不过这不像是叙述一件事实的开端语气。"他紧皱着双眉，口中的烟雾乱喷，目光仍凝注在地席上面。

我知道他正在运思，在找寻个可能的解答。我索性保守着静默，以免扰乱他的思绪。隔了一会儿，他忽而从藤椅上突地跳起身来。

他瞧着我发问："包朗，你的门牌号数不是九十九号？"

我忙答道："正是，你想这八十四是门牌的号数吗？"

"也许是的——是的——一定是的。你可知道林荫路八十四号是什么样的人家？"

"这个我不知道。但我回去一查就可以明白。"我沉吟了一下，又说，"不过这里面有些难解。"

"什么？"

"那林荫路朝东一面的门牌，是从北而南，挨次排列的。我的寓所在南首，那么八十四号，应当在我的北面。但是我明明记得那女子的脚步声音是从南面来的。如果照你的料想，伊所说的，'八十四'三字是门牌的号数，这女子是从八十四号里逃出，到我那里去暂避的，那么，伊就应当自北而南。这样不是有些冲突吗？"

霍桑低垂了头，身子又向后躺下。他的右手的四个手指，不住地在藤椅边上弹着；他的嘴里缓缓地吐出一缕缕屈曲的烟雾。

一会儿，他仰面说道："这一点果然矛盾，还不容易解释。但你不妨先回去实地调查一下，也许可以得到些端倪。因为伊的'八十四'三字，明明是一种开端语——不过有些突兀。伊当时因着你步步逼迫，不能抵抗，分明已准备把伊所经历的事情告诉你，后来伊又因着顾忌什么，忽而又顿住。我猜想伊的开端的第一句，似乎要告诉你那八十四号里发生了什么事情。除此以外，我实在想不出伊有什么别的更可能的理由，会说出这个数目来。"

我听了霍桑的解说，也不能不承认这是一种最可能的理由，因为此外我也想不出什么来。

霍桑又仰起了身子，说道："包朗，你回去吧。这件事你先去进行调查，如果有什么头绪，请通知我一声。不过你须得镇静些。你夫人的怀疑，我可以给你负责解释，你也用不着过分忧虑。这事的确有趣，我已打算分些救灾工夫，帮助你调查一下。"

八十四号

我的寓所在林荫路的南端，介于安澜路和大吉路之间，那女子当初既从南面过来，后来我记得也是向大吉路的转角去的；并且那追踪的几个男子的脚步声音，也明明是从南而北。不过从我的寓所向南，都是一百以上的号数，和霍桑的料想又不相合。但我回寓以后，仍旧依照霍桑的意旨，先向北面去调查。

我寻到了那八十四号，见是一爿小小的杂货店——其实还不能称店，只可算一个小摊。那门口的柜台，是用几块木板支搁的，柜台上放着些肥皂、板刷和纸烟等类，还有几个用布条粘补的破玻璃瓶，藏着些陈年的糕饼和糖果。门口的左旁，居然也有"和兴字号"的招牌，那是写在一张退了色的红纸上的，歪斜不匀的书法，还不及一般测字先生所写的高明。店堂里有一个衣衫褴褛而粗眉阔眼的中年妇女，正露着胸膛，抱着一个孩子喂奶，同时又忙着应酬几个苦力似的顾客。我暗忖这个地点显然不相称，昨夜的那个女子，也不像会从这地方出进。我又瞧这杂货铺的屋子很浅，那左隔壁八十三号是一爿成衣铺，右隔壁八十五号却是一家木作。我端详了一会儿，觉得无所留恋，更没有探听的必要，便失望地回寓。

我把经过的情形告诉了我的佩芹，并声明我正在设法查明那女子的来历。伊并无表示。不过伊的误会的成见，似已比夜来减淡了些。接着，我又打电话报告霍桑。霍桑的回话，恰合我的意思。

他又指示我道："那么，你再往

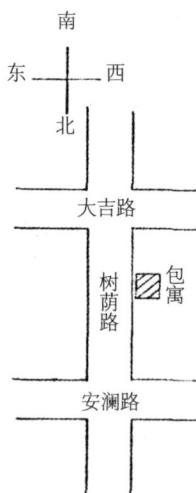

南面大吉路方面去调查一下。"

我又离了寓所往大吉路去。我记得昨夜那女子向大吉路的东面转弯的，所以我也就向这方面进行。我一转了弯，便瞧那朝南一排屋子的门牌，转角的第一家是六十七号，第二家是六十六号，原来门牌的排列是自东而西的。但六十七号的数目，和八十四，只相差十多家门面，已使我兴奋不少。虽则昨夜那女子是向东去的，八十四号却在西首，但昨夜伊如果真从八十四号逃出，后来往另一方向脱身，也近情理。至于伊出了我的门口不向北而是向南，也分明是要避免追踪的人。因此之故，我立即转身过来，向大吉路的西首行进。

我从大吉路的西角六十八号数起，一直数到八十四号。我的希望，当真已一部分实现了！

那是一宅西式的巨厦。中央两扇盘花铁条，里面衬铅皮漆着绿色的大门，两旁都是水泥的围墙。靠右手另有厚木的便门，近便门的人行道上有一棵高大的法国梧桐。这时铁门紧闭，我瞧不见里面的情形。我再走到街的对面，望见里面有一宅三层楼的高屋，那前门和正屋之门，还隔着一方空地。我暗忖这样的背景，才演得出昨夜的怪剧。可惜这时候我不能贸贸然进去探听，我从外表上察看，也瞧不出昨夜里这屋中曾否发生过什么变端。

这巨屋的右隔壁八十五号，是一个石库门，有一扇门开着。我瞧瞧里面，有一个年在五十以上的老妇人正在洗衣。我想了一想，便打算从这老妇身上探问一下。我刚穿过马路，还没有到那石库门口，忽见那洗衣的老妇，提了一个铅皮的水壶，弯着腰从这石库门里走出来。

我忙迎上前去，带着笑脸问道："老太太，对不起，我要问一个信。"

那老妇停了脚步，抬起了伊的枯瘦的脸儿，向我上下打量了一会儿。伊点了点头，表示可以接受我的请求。

我又道："请问这宅洋房里住的一家姓什么？"

伊答道："姓袁。"

"唉！你可知道这人家做什么生意？"

"我听说做买办的。"伊说完又弯着腰，要继续前进的样子。

我常听说年老妇人，十个中九个是长舌子的。不料这老妇却并不像其他喜欢多嘴的人一般。时机不可失，我索性冒一冒险，再问一句。

我道："他家里不是有一位常穿蓝色黑边顾袍的小姐的吗？"

这老妇又向我瞟了一眼，摇摇头："这个我不清楚。他家里进出的小姐很多。"这时伊已提着水壶开始前进。

我仍跟随在伊的旁边，继续问道："那么，你可知道昨夜里这袁家里有没有发生什么事情？"

伊脸上有些厌憎地表示，脚步似也故意加速。伊又摇头道："我不知道……你瞧，他家里有人出来了。你去问他们自己人吧。"

这时候我们已走近那宅洋房的便门口。有一个穿黑绸单长衫的男子，正开了那扇厚阔的木门出来。我立即止步，让那泡水的老妇单独前进，我却向右转折，穿过街心，以免引起那开门出来的人的疑心。

我在街的对面站住了，回头瞧那穿黑绸长衫的男子。那人体格很高，肩膊特别阔大，光着头，头发剪得光光，年纪在三十内外。他的苍黑的脸儿，配着一双骨碌碌的乌眼，两道浓眉，一张阔口，和一个扁肥的鼻子，面貌很狰狞可怕。他走出了门口，在那棵因夜雨洗润而青翠欲滴的法国梧桐底下站住。他把右手叉在腰里，挺着肚子，左手在抓他的光头，两只眼睛却在街面上溜来溜去。我不等他的眼光瞧到我站立的地点，立即向前行进。

我向东走了六七家门面，重新站住了，回头瞧瞧那穿黑衣的男子，依旧凶狠狠地站在树荫底下。我有些疑讶。这个人不像是主人，又不像是仆人；瞧了他这种示威式的神气，倒像是什么阔佬们手下的保镖。正在这时，我的猜想果然已得到了证实。

那洋房的铁门开了，有一辆汽车从里面驶出，停在门口。再过一会儿，有一个穿灰色西装的男子，从正门里出来。那穿黑长衫的镖客，连忙把汽车的门拉开，让穿西装的上车；接着他自己也进了车厢，汽车便立即开动。我等那汽车驶过我面前的当儿，仔细一瞧，那个穿西装的人，脸儿很胖，皮色也很白嫩，上嘴唇上还留着些新式的短须。一会儿，汽车已风驰电掣般地过去。我更瞧那宅洋房，铁门和便门都已重新关上，再瞧不出什么。

我回到寓里，便把发现的事实，打电话告诉了霍桑。霍桑听了我的报告，也承认这宅洋房里的人物，或者果真和昨夜的那个奇怪女子有些关系。因为据那邻居的老妇说，这人家女子进出的很多，也不能不认为一条线索。他嘱咐我慢慢地依着这条线索进行，不要操之太急，以免反而坏事。他又叫我这一天最好不要离寓，也许那个女子再会有什么消息给我。

这天午后，佩芹因着女子提倡国货会举行宣誓仪式，吃过饭便赶去参加。我听了霍桑的说话，便一个人留在寓里，继续我的《血花与国魂》。可是因着心思的不能集中，枯坐了好久，竟写不出什么。是的，我的确听信霍桑的说话，那女子也许会再来见我，或者会给我什么消息。其实这是我由于主观的轻信。因为霍桑的推想，成功的果然很多，失败的也未始没有。

有许多读者偏信了我所述的案子，以为他有超人的睿智，他的料事侦案，具有什么不可思议的巫术，或者竟把他当作神话小说中的人物看待！其实在现在的科学时代，还有这种见解，真是很可笑的。他也只是一个人。他侦查案子，完全靠他的健全的理智和敏锐的观察，一切的步骤，都依照逻辑的规范，而推想的对象，也无非把人类的心理和事实的情势做根据。但人类的心理，变化多端，非常复杂，有时他的智力不能周到，结果也同样免不掉失败。例如在这纠案中，他的推想已有两点失败：第一点他误会了这案子的性质；第二点，他料想那女子也许会来见我，因此叫我在寓里等候。不料我直等到断黑以后，不但不见那奇怪的女子再度光临，连电话都不曾得到一个。

傍晚六点半时，佩芹散会回来了。我闷坐了半天，只把满罐的纸烟消耗了一半，纸面上却毫无成绩可言，心中未免有些抱怨。我因打电话给霍桑，一则报告他料事的失败，二则问问他进行的步骤，不料霍桑却不在寓中。

晚饭过后，佩芹和我谈起女子提倡国货会的情形。这天参加的人数很多，并且都是受过教育的新式女子。这些新式女子，在已往时期，十之七八衣服日用，都是把舶来品看作无上光荣。这种足以亡国有余的病相，确很普遍，原也不容讳言。但经过这一次战争之后，这些受教育的女子，大半都觉悟了。她们大概因着这重大的刺激，觉悟到已往的错误，便引起了热烈的爱国观念；或是她们悟到环境既已变迁，再用奢侈品，不但不足以示漂亮，却反要招人家的轻视和鄙弃，故而不敢不改变过来。因为在这时期，有智识的人们，莫不大声疾呼；那些比较激烈的言论，甚至把那些还不觉悟的女子，斥为娼妓！这一来，大多数自重自爱的青年男女，便都幡然改图了。佩芹和几个同学们更觉热烈起劲，特地组织了这女子提倡国货会，立誓不再购用奢侈品。这委实是国运前途的一线曙光，很值得注意的。

我和佩芹谈了一会儿，因着上夜里那奇怪女子的印象盘踞在我的脑海，精神上仍不能安宁。这女子是谁？究竟有什么勾当？伊说的"八十四"，真是屋子的号数吗？那么，伊和那八十四号里的西装的胖子，果真有关系吗？这种种疑问，若得不到相当的解释，我的好奇心自然不能够满足的。因此，我反复思忖了一会儿，便决定了一种进行的步骤。

善意的警告

我踏进书室里时，已经八点半钟，本想继续我的小说工作，可是一连吸了好几支纸烟，始终不能把我的思绪收缩拢来，握着笔竟写不出一个字。我闷坐了一个多钟头，一时又不能安睡。因想昨夜里这女子发生了这件事情，今夜里可会得再来一回？那八十四号里的姓袁的人，雇着保镖，女子们进出的又多，的确有可疑之处。我不如乘着黑夜，再悄悄去察看一下。我一想到这层，立即离了书桌，又打一个电话给霍桑，打算征求他的同意。但据他的旧仆施桂告诉我，他在傍晚时出去，还没有回寓。

我不再犹豫，先到楼上和佩芹说明了一句，便即下楼来改换装束。我穿上一件黑棉绸的单衫，戴着一顶深棕色的铜盆呢帽，足上换着一双钟牌胶皮底鞋，以便走路时轻快无声。我又开了书桌的抽屉，取出一支手枪藏在袋中，以备意外之用。

我出门时已十点三刻，街上行人已很稀少。寒风一阵阵吹着，倒有些冷气逼人。因着战乱以后，市面还未恢复，商店既提早收市，路上便更见冷落。我裹紧了外衣，进了大吉路以后，地点既僻，行人车马，已几乎绝迹。路上的电灯，因着人行道上树叶的掩蔽，光力不能射远，大部分都是黑魆魆的。

那八十四号既在大吉路的西端，更见得冷静萧条。我走到这宅洋房的附近，向前一望，洋房门前静寂无人。但楼窗上灯光灿灼，并且隐隐有丝竹声音透露出来。我走到铁门口时，先向左右一望，并没有人，便偻着身子，凑到那铁门的隙缝中悄悄窥视。铁门里面，似乎被什么花树阻隔着，完全瞧不见什么。不过我的听觉略略有些成绩，那丝竹声音我辨出是一种京胡，并且胡琴声中，还夹杂着女子的唱曲声和嬉笑声。

我暗暗寻思，从这局势推想，可见那邻妇所说的话不错，这巨屋中的主人，真是一个耽于声色的享乐人物。在这样的家庭里面，当然有演出争宠夺爱淫奔私恋的活剧的可能。那么，昨夜的那个女子，岂非就是活剧中的一个要角？伊的不可告人的秘密，也莫非就是扮演这一出老把戏？不过我回想起来，还不敢自信这假定合乎事实。因为我相信自己的眼力也有相当的经验。我瞧那女子的态度和眉宇间的神气，又不像是一个卖爱弄俏的淫奔妇人。

我在铁门口逗留了约有二三分钟，仍不能满足我的愿望。这屋中人的情形究竟怎样，我很想瞧一个明白。但那围墙既高，当然无从瞭望，若使越墙进去，又未免太觉危险。我抬头一瞧，忽而发觉了一种偷窥的方法。原来那屋子右边，靠近那扇便门附近的人行道上，也像我的寓前一般，有一棵法国梧桐。这棵树树身高大，枝叶又很浓密，若能爬上树去，对于楼窗里的情景，即可一目了然，而且下面即使有巡路的警士走过，靠着树叶的掩护，也不致引起疑忌。

我先向路上瞧瞧，除了飕飕的风声以外，仍旧静悄悄的，我就放轻脚步，走到树荫底下。我对于爬树的技术，虽不及霍桑那么敏捷，但也曾练习过一回。这一棵树只有一丈多高，树干上又有不少木瘤，我自问猱升上去，不会怎样费力，而且一定绰有余裕。可是我正站在树脚下面，还没有开始爬树的当儿，忽有一种奇怪的声响触动我的耳朵。

那是一种细碎的声响，好像有一粒碎石触在水泥的人行道上，我回头一瞧，依旧冷清清不见人影，除了风吹枝叶以外，也没有什么别的异象。

我忖度着："大概是风伯伯在作怪吧？"

可是我再向东西一瞧，忽见远远一辆黄包车正从东面过来。我估量那车子距离，足有三四十码，对于刚才的细石声音，一定不会有什么关系。不过为谨慎起见，我的爬树工作，不能不因此暂时停顿。我正在打算怎样躲避那辆车子，忽又感觉到一种意外的变端。

唉！我的左胸门上忽被什么东西击中了一下；同时嗒的一声，又有第二次的碎石声音！

这是不是枪弹？不，那是很侥幸的！我在惊异之余，立即觉到那定是一粒小小的砖块。追想它的方向，却像从马路的对面飞过来。

这当然不是偶然的事了。我的眼光便也不能不向街的对面瞧视，同时我又把右手伸进衣袋，握住了手枪，以备万一。

我瞧见街的斜对面的人行道边上，有一个黑色的人形站着——其实不是站着，却像是弯着腰半蹲半站的样子。这时我又见那人把一只手举在空中，仿佛又要投掷什么。我急忙把身子蹲倒，又借树干做了掩蔽。但这一次没有石子过来，也没有什么声响。我再瞧瞧对面，那人忽已不见，那辆黄包车却已渐渐驶近。我觉得爬上树去既来不及，躲在这里又未免遭疑，索性向西行进，等那车子走过去了再做计较。

我离了那棵大树，慢吞吞在人行道上踱着。不多一会儿，那黄包车已超过了我的前面。车上坐着一个西装少年，面貌却瞧不清楚。这人口中正在哼着不成腔的京调，并无可疑之处。

我又停了脚步，瞧瞧那宅洋房，已距离七八家门面。这地方同样有一棵梧桐，我靠树站着，追想方才的奇怪经历。

那街对面的人是谁？可惜路灯暗淡，又在惊惶之余，一瞥间瞧不明白。这个人大概先已见我。他用砖块丢掷，是不是故意掷我？假使是的，又有什么用意？

我反复思忖了一会儿，仍没有头绪。但我的爬树的计划既已打破，对于这个新发生的疑窦自然先应得彻究一下。于是我把呢帽的边沿，覆下了些，右手仍暗暗执着手枪，索性穿过街面，沿着南边的人行道，很小心地缓步进行。

我又默默静思道："这个人不像有什么恶意？否则，那粒小小的砖块如果换了一粒子弹，那我便不免会无抵抗地遭了他的暗算，估量这砖块的作用，倒像是善意的警告。那么，这个人是谁？莫非是——唉！他不会是霍桑吧？"

我一想到这里，我的脚步便加紧了速度，眼光也急急向前搜寻。我已走近了那宅洋房的斜对面，人行道上并不见什么人形。但这地方有一条合兴里弄，如果有人藏在里面，确是再妥当没有。我走到里弄口，刚要停步瞧察，忽听得有一种轻微而又沉着的呼声从这弄中透出来。

"包朗，快走进来！"

那一种熟得一听便不会错误的语声，虽然突如其来，在我却毫不觉得惊讶，只是暗暗欢喜。我把身子一闪，闪进了弄中，弄口有一盏电灯，有一个穿黑色短衣黄包车夫模样的苦力站在一边。我仔细一瞧，正是我的老友霍桑。

我低声道："霍桑，你什么时候来的？怎么这样子打扮？"

他做简语道："我六点半已到这里。你瞧，我还租着一辆车子呢。"

我依着他所指的方向瞧去，在弄中较黑暗的一边，果真停着一辆空黄包车。我才知道他为着避免人家注意起见，又在玩那拉车的老把戏了。

我问道："刚才是不是你把砖块丢我？"

霍桑点点头道："我见你要爬上树去，怕你要坏我的大事，我又不便走过来阻止，就丢了三粒瓦片，方才丢中了你——"

"我坏你的大事？"

"是啊。如果我不阻止你，你还有性命的危险！"

"这样严重？你怕里面的那个保镖会瞧见我吗？"

"不，你还不知道哩。——唉，包朗，近来我的脑力似乎在逐渐衰弱了！我告诉你，这件事，比我早晨所料想的严重得多哩！你且静着，这一出怪剧快要开幕哩！"

活　剧

当霍桑和我谈话的时候，他的身子仍站近弄口，又不时探头瞧那斜对面的洋房。他所说的危险怪剧等等的话，虽是富有诱惑力，但我还是莫名其妙。我依着他的眼光向洋房瞧去，那水泥围墙一带，依旧冷静没人。我不明白霍桑为什么有这种过度的紧张。

我又低声问道："你叫我瞧什么？"

霍桑不答。他仍偻着身子，全神贯注地向洋房瞧着。

"哎！又来了！快瞧！"

我果然见有一道白光，从围墙里面的空地上射出，在那法国梧桐的上端晃了一晃，分明里面有人用了电筒，正在探视那大树上有没有人。

我诧异道："奇怪！那个镖师难道是个未卜先知？他竟早知我要爬上树去？"

"他不是特地防你。但他总也知道这棵大树有危险性的，自然不能不随时戒备。不过你若爬上树去，那么，你此刻也许已不在这世界上了！"

"什么话？我不相信我一上去他就会见我。那树上的枝叶非常浓厚——"

"我告诉你，那树上早有人捷足先登，当然不会再让你上去！"

"原来如此！"

霍桑忽把左手紧握着我的右臂："轻声些！"

我又附耳问道："你怎么知道树上有人？"

"我亲眼见他爬上去的。他比你先到五六分钟。"

"那是什么样人？"

"我没有瞧清楚，但见他穿一身灰色的学生装，足上穿的也像是帆布胶底鞋。他的爬树的技术，倒也不在你下。"

"你想他有什么目的？"

"不知道。也许要刺探什么，也许另有企图。"

"你想他伏在树上这么久，此刻还没有被里面的镖客发现吗？"

"那自然。否则，这怪剧早已开场。不过里面的电筒已照过三次，树叶虽浓，但也不能始终回护着他吧。"

我暗忖事实的紧张，竟至于此，委实又出我意料。树上既已有人伏着，我如果贸然上去，一定会引起那人的误会。那人身上势不致没有武器，居高临下，我既没有防备，自然不能幸免。我这时事后回想，觉得这事的凑巧，也可算得我生平难得的遭遇。我重新探头向对面瞧视，外表上仍无动静，只见有一辆空黄包车缓缓地在街面上荡着。那车从西而东。已经过了我们所站的合兴里弄口，渐渐远去。我又瞧瞧那棵洋房门前的大树，密密层层，当然瞧不见什么，但那枝叶受风，却在空中微微摆动。

我又低声问道："你想这究竟是什么一回事？"

霍桑答道："我还不知道。就现状推测，这事的性质一定是非常严重的。"

"那么，昨夜来见我的那个女子，和今夜的这幕怪剧，你想有没有关系？"

"那不成问题。否则，绝不会这样凑巧。我料那女子昨夜一定也有所图谋，但不幸失败，所以今夜又换了一个角色登场——"

霍桑的说话没有完毕，那怪剧竟开场了！

砰！

那手枪声破空而起，直刺我的神经。霍桑也登时偻着身子紧张起来。

他发出一种紧急命令道："包朗！快走——！快回去！"他说完了急忙回身跨进了黄包车的车杠，拉起车子，捷步走出合兴里弄。

我也出了弄口，在人行道上站住，追想那枪声的来源，显然是从树头上发出的。

霍桑又低呼道："走啊——！你沿着这边的人行道急走，不要跑！"他拉着车子，上了街面，便缓缓向西行进。

我受了他二次的紧急命令，自然再不敢停留。在这危险紧张的局势之下，我的好奇心已引申到了最高度，本不愿离去这活剧的舞台。不过霍桑的吩咐，一定有特殊的用意，我不便违拗。我一边思忖，一边向前急走，在数秒钟中，已向东走过了五六家门面。

砰！砰！

这连续的枪声，不能不使我回过头去。那洋房距离虽远，还可以瞧见门前仍安静如常。可是在一刹那间，情境便完全不同了！

有一种惨厉的警笛声音，突然打破了街面的静寂；接着又有呼噪的人声，更助长这恐怖的局势。我仍急急前进，才知霍桑真有深意，我如果还留在那个地点，确有被牵累的危险。等到我走到了林荫路的转角，那可怕的怪剧，竟演到了最紧张的焦点！

轰！一种猛烈的爆炸声音直破静空，几使我站立不住。这

明明是炸弹声音啊！我和那洋房的距离，虽已有十多家门面，但人家屋子玻璃窗的震动声和人们的骇呼声，还隐隐可以听得。一时间那死寂的街面上忽而活动起来。有几个警士在路上狂奔，嘴里又吹着刺激神经的警笛。这一幕活剧竟会这样结局，那真是我所梦想不到的了！

我回到寓里，我的呼吸还没有恢复常度。我把前门的弹簧锁锁住了，急急走进书房里去。我走到书桌旁的东窗口站住，把窗帘略略揭起一角，留神听外面的步声，恐防霍桑也许要到我寓里来暂避。

这时佩芹本已归睡，但因着那轰声的惊动，重新走下楼来。

伊见我站在窗口，便做惊惶声道："什么事？是不是炸弹声响？"

我点了点头，又向伊摇摇手。

伊又问道："这件事和你有关系吗？"伊的语声已略略有些颤动，眼睛中也露出骇光。

我低声答道："你不用害怕，我完全没有关系。"

"那么，你又为什么这样子？——你现在又在听什么？"

"我等候霍桑。他也许会来。"

"这件事可是霍先生干的？"

我忙摇手道："不，你不要误会。我们俩只是这怪剧的观客，在扮演上丝毫没有直接关系。"

伊走近我的身旁，执着我的左手，一双惊恐的眼睛，凝注在我的脸上。

伊又问道："既然如此，你又为什么这样？这究竟是什么一回事？"

我放下了窗帘，把右手在伊的肩上轻轻拍了几下。

我缓声说："你放心吧。这件事和我们<u>丝毫</u>无涉，但和昨夜的那个女子，却有关系。你定一定神，我来告诉你。"

于是我先吸着了一支纸烟，就把刚才的经历和霍桑的推想，简括地给伊说了一遍。佩芹听了这一番解说，低头沉默了一下，仍带着颤动的声调答话。

伊说道："这事真可怖！你何必冒着危险从中干涉？昨夜的事，我只是因着一时的好奇，向你问了几句，你难道便因此——"

我忙赔笑答道："不，不，我知道你不会疑心我。我也是因着好奇心的冲动，才觉得不能不彻究一下。"

这时候外面的惊扰声音愈闹愈大，警笛声、汽车声和杂乱的脚步声组成了一片。

佩芹又颤声道："我害怕得很。我们上楼去吧。"

我觉得霍桑大概不会来了，就答应了佩芹的提议，扶着伊走上楼去。

一件憾事

我因着受了这严重的刺激，睡到床上，再也不能安宁。下半夜过了，依旧翻来覆去，到了将近天晓，刚才合眼，可是一合眼又被噩梦侵扰，精神上深感痛苦。第二天二十七日清早起来，我就定意去瞧霍桑，问问他夜来的究竟。

我在未出门前，晨报已经送到，急忙翻开来一瞧，《大吉路凶剧》的标题，已赫然在目。不过那新闻很简短，大概因着发案已在深夜，来不及仔细调查。

那新闻说：

昨夜（二十六）深夜，大吉路八十四号袁姓屋中，忽发生一件可怕的凶案。那时已交十一点钟，轰然一声，惊醒了四周邻居们的睡梦。那大吉路西端的岗警王以福，闻警赶到，凶手当场被捕。

那炸弹的损害非常可惊。主人袁兴柏当时因伤身死，又炸伤袁姓的镖师曹长胜一人和不知姓名的私娼一人。那洋房二层楼的前部窗壁，都已损毁，下面的阶石也炸断一块。就拾得的弹壳研究，炸弹的重量虽不甚大，但爆炸却非常猛烈。

这袁兴柏本来在和菱洋行当买办的。当战乱起后，他已登报辞职。此次被害的原因若何，还不曾探悉。因为那凶手自身亦受重伤，无从取供。当警士们赶到的时候，这凶手横倒在墙外的人行道上，血流满面，不省人事。树脚下遗着一支手枪，人行道边又发现一辆空黄包车，车夫却已逃走，很像是这凶手的同党。

那凶手是一个青年，年龄约在二十六七，穿一身灰色布学生装，足上国产树胶底鞋。他的皮色苍黑，身体却很坚实，左颊上曾受手枪伤，脑后也有一洞，流血很多。好像那凶手起先伏在洋房门前那棵大树上面，当他丢着炸弹的当儿，自己也被那镖客曹长胜打中一枪，因而从树上跌落，又伤了他的后颅。当本报付印的时候，这凶手已送往市立医院，神志尚未恢复，故而行刺的情形如何，此刻还无从探询。

这一节新闻，别的我都不觉得惊异，但那发现空黄包车一点，却使我受了一次虚惊。因为新闻中的论调，因着发现了一辆空黄包车，便疑那逃走的车夫有同党嫌疑。昨夜里霍桑不是也乔装着车夫的吗？莫非他已被牵连进去？此刻他是否安全，倒是一个疑问。

我在离寓以前，先打了一个电话到霍桑那里。据施桂告诉我，霍桑已出去散步，还没有回来。我听了这个消息，心中才放下了一块石头；接着便急忙忙赶到爱文路去。

我踏进霍桑的前门口时，忽听得有一缕凄幽的提琴声音，从他的办公室中送出。我停一停脚步，先留神听听。霍桑平日难得弄提琴的——在两种局势之下才弄提琴：一，每逢他探案得手，他心中得意的情绪往往借那琴弦发挥出来；二，或是他遇到疑难问题，昏乱了脑筋，也往往把提琴做一种镇定神经而爬梳思绪的工具。所以我已有很深的经验，常能从他的音调中揣摩他的成功或失败。这时候我听得那调子哀婉和谐，丝丝入扣，那分明是在充分表现他得意的情绪。

一会儿，那提琴声音戛然而止，我便一直走进他的办公室去。霍桑仍像上一天早晨一般，穿着那件蓝条白地的浴衣，坐在靠窗口的那只藤椅上面。一张提琴横在藤椅旁的地板上，琴的旁边还有几张碎乱的报纸。他嘴里衔着一支纸烟，正在擦火。

他先招呼我道："包朗，请坐。你接连起了两个早起，又失眠了两夜，那真是很不幸的。"

我听他的语声，似乎很冷淡。清晨的阳光，斜照在他右颊的一部，也显得宁静没有任何表示。我本以为昨夜的案子他定已得手，这时他脸上当然有一番得意神气，不料又失我所望。

我忙问道："霍桑，昨夜的那出怪剧怎么样了呀？"

他做简语道："已经结束了！"

"唉！那很好！"

"这不干我们的事。你也不必再劳神了。"

我做诧异声道："什么话？你的葫芦里还在卖什么药？"

霍桑不答，缓缓地吐了两口烟，偻着身子，似要取地板上的报纸。

我阻止他道："不消得，今天的晨报我已见过了。"

他止住了手，仍淡淡地回答："那么，你总已知道了这事的结局了啊。"他索性把身子躺到藤椅上去，又把两条腿伸直了。

我又道："但这件可怕的凶案，究竟是什么性质，我还没有知道。"

霍桑始终保持着那种闲豫的状态。他弹去了些烟灰，缓缓说道："这件事说明了也很简单。你不曾从报纸上见过天津有一班热血的青年男女活动消息吗？他们的动机原是出于纯洁的爱国热忱，目的要劝告那些奸商。起初他们采用过缓和的方法——跪哭，希望商人们能激动天良，自己觉悟了改业。后来他们觉得婉劝没有效果，才再接再厉地采取这样的激烈方法。现在有一部分的团员已自北而南，昨夜的活剧，就是他们到上海后的第一次的成绩。"

我听了这番解说，方才明白霍桑所以这样子淡漠的原因。

我问道："那么，这袁兴柏可的确是一个奸商？"

霍桑点点头："那自然没有疑问。这种人死不足惜，况且那刺客也已付了代价。这件事不是已完全结束了吗？"

我也摸出纸烟，默默地和霍桑相对无言。我吸了半支烟的光景，又继续我的问话：

"既然如此，我们当然不值得给奸商奔走。但你怎样知道的呢？"

"昨夜里我和你分别以后，又费去了一个多钟头，才把这事的内幕调查明白。"

"你有什么线索？"

"今天的新闻上，不是说有一个失踪的黄包车夫吗？这车夫的确也是刺客之一，他因着局势危急，来不及援救他的同志，就抛了车子逃走。我就利用他做了一个引线。"

"你曾否知道他们的地址？"

"这个——唉！这事既与我们无涉，你也用不着再深究了。"

我又静默了一会儿，重新吸了几口烟。我又问道："还有一点，前天夜里的那个女子，究竟是不是——？"

霍桑略略仰起些身子，丢了烟尾，他的眉峰忽也紧缩拢来。

他阻止我道："据我想来，伊也是其中的一分子。不过伊究竟是一个女子，胆力还细，故而临时慌张，闹出了前夜的把戏。现在这件事已告一个段落，我们且谈谈救济灾民的募款方法吧。"

这件案子在事实上只能不了而了。下一天报上，果然有一种补充的新闻。这锄奸团的主席，有人发表了一篇这案子的动机和经过情形的宣言，目的在警告一般其余的奸商，所述的一切和我所知道的完全相同。不过这新闻又补充了两点：一点，说明那刺客叫作华国雄，二十六岁，是一个中学毕业生；另一点又说，那袁兴柏曾私囤白米九千石。还有一点，那刺客在二十七日晚上，因伤身死，始终没有一句供词。

隔了三天，我忽又接到一封匿名信，就是那个奇怪的女子为着实践伊的约言，特地寄给我的。伊特地向我致谢，又说明那晚上伊本带着手枪，打算冒充私娼，混进袁家去行刺。这就因恐怕连累无辜，不愿意贸然丢掷炸弹；伊又知袁某是一个好色之徒，所以伊不惜降志辱身，冒着危险以便悄悄地进去，单单结果袁兴柏一人。不料当伊走进大吉路后，忽见有几个查街的警探，正在那里搜查行人。伊袋中本藏着手枪，一时慌张，不得不回身退避。当时伊觉得伊的行动，已被警探们瞧见，因此便越发惊慌。后来伊见我开门招呼，便索性进我的屋子来暂避。因为我的照片在刊物上发表的很多，所以伊一见便认识我了。

这封信固然足以解释我的疑点，同时连带祛除了我的佩芹的误会。但这女子的姓名，我终于没法知道，至今还认为一件憾事。

轮 下 血

一件小小的侦探案

我把身子挺一挺直，觉得那座椅的藤垫特别坚硬，背部只觉十二分的难受。我瞧瞧对座的霍桑，却分明和我有不同的感觉。他宁静地靠着车座的背，眼睛闭着，似乎非常舒适。

"什么平等主义？真是骗人的！没有了上下等级，还成什么体统！"

这一阵充满封建气息的诅咒，从邻座上传送过来，我越发觉得着恼，但又没处发泄。

人们在旅行中最感困苦的，莫过于乘长距离的火车。现在我们虽靠着科学的进步，有了一小时能行五十多里①的火车，总算得以很便利迅速了；然而人们的欲望始终不会餍足。坐在火车上面，虽然只有数小时的途程，却还不免要发生烦躁不耐的感念。若在日间乘车，可以眺望些野景，或是有旅行的伴侣，可以彼此谈心，这沉闷的苦痛也就可以减少几分。可是这一次我们从镇江回来，却是个沉闷难堪的局面。

我们乘的既是夜车，我的旅行的伴侣老友霍桑，一踏进车厢，打了个呵欠，便把头仰承着椅背，闭目打起盹来。因此我虽也有个旅伴，却仿佛没有似的。那时候我的寂寞不耐的状

① 当时火车时速约 25 公里／小时。

况，也就可想而知。这时我盼望有什么新鲜的刺激可以来调剂一下——当真，惊人的刺激，就在数分钟内将突然发生，可惜当时我还不能预知。

若在平时，我既感得这样静寂便也容不得霍桑一个人写意安息。这一次却又当别论。霍桑在镇江破了一件惊人的盗案，两昼夜的冒险辛苦，精神和体力当然都是十二分亏乏的。这时他幸而大功告成，养神休息，我当然再不能不知趣地勉强他和我攀话。我一个人独坐无聊，因着车声的隆隆，又不能像霍桑一样敛神安息，就运用我的耳官，吸收邻座中没有瞌睡的乘客们的谈话声浪。我本想借此破破岑寂，可是听到的反增加我的烦闷。

我开始摸出烟来吸烟。不料我后面邻座上的谈话，又兴奋地接续起来。

"……他们口口声声说什么恋爱自由……等到他们自己有了老婆，我敢说这样欺人的名词，即使撬开了他们的牙齿，再也不肯吐出来哩！……哼！真正岂有此理！"

我不耐再听下去，挺起身子旋转去偷眼看了一看。说话的是一个穿长袍马褂脸圆大腹的老头儿。他向着和他并肩坐着的一个子侄辈模样的少年，正在口讲指画地作"讲乡约"式的训话。原来这时候有一班受过新潮流洗礼的少年，正在东南一带宣传他们的革命主张。我瞧这老儿的状态，分明是属于旧官僚一流，他的头脑至少落伍了半个世纪以上，当然和这主义势同冰炭，也无怪他要发这样的牢骚话了。

我一边吸烟，一边又听我前座两客的谈话，想找寻些新的话题。他们正在谈论镇江的那盗案。我暗暗欢喜。这案子我们破获了还不到六个钟头，难道外界已有了消息？可是听了一会儿，我才知道他们还不知道破案，但知道霍桑和我在那里侦缉。他们用着过度的渲染，竭力推重霍桑，并且预料他一定能够破案。我思忖霍桑有了这样的名声在外边，真是"盛名之下难乎为继"，危险万分。如果他失败了探不出来，他的名誉又将受到怎么样的挫损呢。

那时有一个同伴在旁边尽力地胡诌着。他竟把霍桑当作超自然的剑侠小说中的人物，什么"一跃三丈""霎时不见"，再进一步，也许会说出"剑光飞起人头落地"等等的一类野话！真是滑稽极了。

我不但暗自好笑，还可怜他们缺乏常识。在这个人们应当尽量运用理智的科学时代，却还竟有这样耳食盲从的话头。这足以证明一般人教育程度的低落。

我偶然抬头，忽见霍桑的唇角微微在那里牵动。唉，霍桑何曾睡着？他正自听得暗笑哩。

那时另外一个人忽高声道："我也来说一件小小的侦探案子给你们听。好吗？"

他的同伴高兴地应道："再好没有。快说。"

"那一件案子就发生在无锡车站上。有一个乘客和一个收票员大起冲突。收票的说乘客没有票子，蒙混乘车；乘客却执着一只车票的角，坚说票子已被收票员撕去。收票的当然不承认撕碎那人票子。两个人各执一词，彼此就冲突起来。

"后来没有法子解决，就一同扭到站长那里。那时我动了好奇心，又听那乘客的口音是我的同乡，我就跟着一同进去。那站长倒有些侦探知识的，听了两边的说话，低头想了一想。

"他说道：'这个疑团也不难打破，只需把收得的票子检点一下，有没有撕碎的票子。这样，你们俩的争执，便可以解决.'收票人将收得的票子一起取出来一瞧，果然有一张缺角的碎票，把那乘客手中的一角拼合上去，恰正相配。站长见了，不得不申斥那收票员的粗忽，反而诬陷人家。接着站长向那客人赔了个不是，我们就也出来。"

旁边一个人说："我看那站长的侦探知识也平常得很。"

说故事的人答道："不但平常，而且还用错了。这一来竟使那乘客的狡计得到成功，收票员却反而受了冤枉。做侦探的真是不容易啊。"

旁边一个人作诧异声道："什么？难道这里面还有什么黑幕？"

那人答道："是啊，因为我后来问过那同乡，据说他实在没有全张票子，只有一只票角。至于那张碎票角的来由，因为他在车中见一个乡人遗失了票子，没有钱补票。我那同乡知道京沪车的章程，补票须算全程，他身边又不便，就把票子分撕为两，大半张给了乡下人，小半张他自己留着。他教那乡下人出站时先走，他自己却把票的碎角握在手中，高高举着空拳，想要混轧出去，他就被收票员拦住。不料交涉的结果，他竟占了胜着。你想他狡猾不狡猾？"

旁边一人道："哈哈，你的贵同乡真狡猾极哩！站长的侦探术可算劳而无功。我想这一件案子即使请那位大名鼎鼎的霍桑来……"

碾死人啦

霍桑突然从座中直跳起来。他的两眼圆睁着，双眉紧蹙，挺立着动也不动。我有些发窘，觉得这态度未免突兀。莫非邻座的谈话触怒了他？可是霍桑有相当的修养，不是这样鲁莽的人。

霍桑忽向我道："包朗，死了人哩！坐稳些。"

我一时还莫名其妙，但觉得车子的确在剧烈地震动，接着，便倒车停止了。我才知道大概火车已碾死了什么人，前面早有了惊呼声音，我们虽然被那碎票的故事迷住了神智，霍桑却早已听清楚了。

那时候乘客们都乱动起来，霎时间酝酿出一片喧声。大家从窗口探头出去。

"碾死了人啦！碾死了人啦！"

这一种声浪直刺每个客人的耳鼓，连带引起又是一阵喧哄。

霍桑忽高声喊道："大家别慌乱，留心你们随身的行李。"他把座下的一只小皮包提在手里，低声向我道："包朗，我们下车去瞧瞧。"

那出事的所在非常黑暗，却早已围集了一大堆人，除了车上的服务人员，有几个好奇的乘客，也都下车来瞧视。霍桑先自钻进了人丛中去，我也跟着挤到了前面。一个穿护车员制服的人，手中提着一盏大灯，照见一个男子的尸身横枕在铁轨上面。那人的头部已完全被车轮碾去，变成了一堆血肉的酱，真是惨不忍睹！尸身的全部躺在轨道旁边的石子上面，却仍旧平直完整。

那死人身上穿一件灰色爱国布的夹袍子，袖子似乎略略短些，露着两只黑色的手腕。上部穿着玄色缎子的对襟马褂，分明是上流社会的人。我又瞧那衣服的尺寸非常狭小整齐，似乎不是商人，却像教育界中人物。他的足上穿着缎鞋，但左足上的一只鞋子已从足上脱落下来，遗落在旁边。

那提灯的护车员向一个面目黑污的司机人道："你不是说他曾经喊过一声吗？"司机人也提着一盏灯，向那尸体上又照了照。

他答道："正是，我忽听得哎哟一声，正想刹住机轮，便觉得车轮上微微震动，才知道已来不及救他。"

"你可曾瞧见他从哪个方向来？"

"没有，我想他大概从南面来，经过轨道，忽见车头过来，一时来不及退避。慌乱间偶一失足，他便跌倒下去。他的头部跌在铁轨上，就送了性命。"

护车员但点点头，似乎已充分接受这机匠的解释。

旁边一个穿西装的乘客忽插嘴道："这见解果真不错，但瞧那一只脱落的鞋子，就可见当时那人的一种慌忙奔避的状态。"

另一个人也接嘴说："在这样黑夜中，石子堆又高低不匀，他心慌意乱，立足不稳，鞋子既然绊脱，身体自然也不能不倒下来了。"

护车员不答，但在一本小册子上用笔写着。

他向旁边另外一个穿制服的人说道："你且在他衣袋中摸一摸。可有什么东西？"

那人将死者马褂的纽子解了两粒，伸手向里面一摸，摸出一只名片夹来。片上印着"孔维新"三个字。

那人向护车员招招手说："方先生，你来瞧瞧这马褂的纽子，还扣错一个哩。"

我也挤到前面，跟着护车员俯下身去一瞧，那纽子果然扣错了一个。

司机人急忙道："这样说，更可见那个人心中正怀着什么急事，所以才急急越过铁轨，等不及火车过了再走。"他的语气好像要企图卸责。

护车员点点头道："不错，这里本是一条通道，南北两面都有村子。那人在这个时候从南往北，分明有什么紧急事情。"

那个穿制服的属员附和说："我猜想这个人一定就住在这两个村庄的任一村子里。"

我听了这话，见尸身倒卧的地方，果真是一条横贯铁轨的通道，两面黑魆魆的林子，显见都是乡人们的村庄。

护车员又吩咐他的属员道："现在你且把尸身移在一旁，我们上车吧。这里到新丰车站只有两公里。我们到了站上再说，别耽误时刻哩。"

众客们也就跟着上车，大家都摇头叹息。车厢中又充溢了嘈杂声音。当我们上车的时候，霍桑也叹了一口长气，低低透出了一声："可怜！"

他回到原座上时，还带着惋惜的神态。一会儿，火车已隆隆地重新进行，霍桑又把头靠到车座背上去，照样闭目打盹了。

不同的意义

过了两天，我在九月十六日的清早读报的时候，忽又使那天晚上的一桩惨剧重新记忆起来。报上记着一段新闻，就说到那晚火车肇祸的事情。那新闻道：

> 本月十三日晚上，从南京开往上海的夜车驶近新丰站时，有一个人奔避不及，被火车碾死。次日由当地地保验明，知道那人住居在柳叶村中，唤作孔维新。他只有一个妻子，住到柳叶村中去，还只两个多月。他们以前的历史

没有一个人知道。据村中人说，他们俩来踪非常诡秘，并且不常和村人们交往。现在孔维新的尸身已由他的妻子向该县县长请求免验，由伊自己备棺收殓了。

我读了这段新闻，心中略略有些诧异。这人的踪迹既然诡秘，那么，那天深夜他这样心急慌忙，显见有什么不可告人的秘事。这是什么样的秘事呢？他为什么不能略略延缓，竟致送了他的性命？我因着这两个疑问，便走到楼上去找霍桑。

霍桑正在化验室中研究人血和动物血的血轮。他一听我说到报中的新闻，便显出很注意的状态。他收拾好了显微镜，将报纸上的新闻亲自读了一遍。他放下了报纸，低头想了一想，突地交折着两臂，张大了眼睛，露出一种惊恐的神色，好似瞧见了什么恶鬼。接着他又低下头去，发了一声叹息。我觉得他的神气未免有些突兀。

我问道："霍桑，你对于这事有什么感想？"

霍桑不答，略停一停，只摇着头说了一声："可怜。"

我不耐道："你说他可怜，我固然表同情的。但我要问你的，就是……"

霍桑突接口道："你和我表同情吗？"

"是啊，他果真死得可怜，我怎么不同情？"

"虽然，我却以为你说的可怜，和我说的可怜，意义是不相同的。"

我呆住了不能回答，不知道不同的地方究竟在哪里。

霍桑瞧着我道："你不是说那人被火车碾死得可怜吗？我的意思却不是这样。"

我诧异道："那么，你指什么说的？"

霍桑沉着脸色答道："我说那人的死，不是被火车碾毙的，却是被人谋杀的！"

我吃惊说："什么？谋杀的——？"

霍桑点点头："是啊，我们那晚上心与愿违，不能替他申冤，因此我才觉得真正可怜。"

他这个解释，真好像是凭空而发，完全在我的意料之外。那人明明是被火车碾毙的，他怎么说是被人谋杀的？难道他有什么特别的根据？这根据又怎么样来的？

霍桑忽又喃喃自语道："这样不平的世界，人们大半缺乏理智。人事的冤枉偏颇，人命的横遭凌践，真不知有多多少少！我们即使尽些微力，又干得了几桩？"接着他又不住地唉声叹息。

他的慨叹明明是因着那个孔维新引出来的，但我总认为不无突兀。

我便问道："霍桑，你说孔维新是被人谋杀的，我实在不知道。你从什么上知道的？"

霍桑简单地答道："那晚火车肇事的时候，我早已知道。"

"这么早？"

"我不是也说过'可怜'的吗？"

"是的，不过我却毫无所知。"

"那时你不是同我一块儿瞧见那人的吗？他直僵僵地躺着，不但他的手足并不屈曲，连他的袍子和马褂也是平平整整，没有一些皱褶。这样的状态，若说他是自己失足跌下去的，你能够相信吗？"

我顿住了答不出话。这一着果然不错。可是当时我既想不到他被人谋杀，就也不曾在这一点上仔细推究。

霍桑又凝视着我，问道："你曾注意那死人足上的鞋子吗？"

我应道："见过的，一只鞋子已落在旁边。"

"你有什么见解？"

"我很觉惭愧。当时我也受了人家的暗示，认为他自己绊倒时脱落的。现在看来，那人可是被人谋杀以后才被移放在铁轨上去的吗？"

霍桑目光瞧着地板，自言自语地点头道："是啊，这里面真是黑幕重重——不过那移尸的人太讨好了，那人竟把尸身弄得平平整整，就反而留下了一个破绽。"

"此外可还有什么证迹，可以证明他是被人谋杀？"

"有。但瞧那碾去的头部虽已成了肉酱，轨道上也有些血，却并没有多量的鲜血。这也是违反常理的。你想一个人如果活活地被火车碾毙，无论轨道，就是碾断的颈部和马褂上，应当有多少的血？但当时的情形明明相反。你不是也瞧见的吗？"

我一听这话，觉得霍桑的理论的确更加近似，但回转来一想，那司机曾说那人先喊过一声哎哟，然后才被车轮碾过。这一个疑问又怎么样解说？我便把这话再问霍桑。

霍桑答道："这一点虽然好像矛盾，但安知不是司机的幻想？实际上却并没有喊声——"

我不等他说完，忙道："这却不见得吧？那司机明明先听见呼声，然后觉得车轮的震动。我敢相信那司机绝不会幻想出这句呼声。因为如果没有呼声，司机的责任更轻，他为什么反而无中生有，偏要说听见声音呢？"

霍桑现出疑滞的神气，缓缓答道："话虽如此，我们却不相信那死人会发出什么喊叫；即使真有声音，也必是另有别人喊的。不过我们还没有调查，一时不容易明白真相罢了。"

我又问道:"据报上说,那人的行踪诡秘。那么,你可想得出他为什么才被人谋杀呢?"

霍桑道:"这个问题,也不是凭空可以猜想的。你若要求解释,那就不能不破些工夫和川费去走一趟了。"

正在这时,施桂忽送一张名片上楼来,说有一个客人等在楼下办公室中求见。我瞧瞧那名片:

保康人寿保险公司稽查员

朱昇元

霍桑沉吟道:"这个人我并不相识,也许是保险公司里有什么事情。"

上乡间去

我们下楼来见了来客,果真不出霍桑所料。那朱昇元是个短小精悍的人物,年纪在三十上下,打扮也很时式。他奉着公司经理的名义,来请霍桑调查一件事;并且事有凑巧,他们要调查的,就关系那火车碾死的孔维新的事。

霍桑踌躇了一下,向来客说道:"你说孔维新曾在贵公司里保过寿险的,现在他既死了,你们当然应当赔偿。何必再费什么调查手续?"

朱昇元道:"先生的话果然不错,但孔维新的寿险,只预付了半年保费,保到现在,还不满三个月——"

霍桑接口说："这也没有出进的。照保险的章程，即使今天付了保险费，明天就不幸死了，也应当照例赔偿。你们为什么又产生疑问？"

朱昇元吞吐地说道："我们本来也没有什么疑问。昨天我们接到了他妻子的信以后，就准备发一封回信，叫伊自己来领费。但今天报上记着一段新闻。据说孔维新那人来历不明。因此我们认为必须先调查一下，然后付款。这原是郑重我们的营业起见，没有别的意思。"

霍桑先向来客凝视一下，又向我瞅了一眼，似乎要征求我的意见，对于这一件事到底接受不接受。我暗想孔维新的死，霍桑虽说定他是被人谋杀的，但究竟还没有确实的证据，并且内中还有一个叫喊声的矛盾点，势不能就算确定。现在这保险公司来委托我们，我们正可趁此机会，解释这个疑团，以便满足我们的好奇心。如果真像霍桑所料，也许可以替死者申申冤抑，这真是一举两得的事。不料我还没有开口，霍桑忽摇了摇头，坚决地回复来客：

"朱先生，请你回复贵经理，我们目下有些小事，调查孔维新的事，不能够担任。对不起你，劳驾了。"

霍桑这一个拒绝的答复，也是我所意想不到的。等到朱昇元悻悻地辞去以后，我就急速地问他：

"霍桑，你为什么回绝这个委托？我们所怀的疑团，一时既然没法解释，何不接受了保康公司的委托，乘机去走一趟？"

"你可知道他们要去调查，有什么目的？干脆说一句，我们若使受了这种保险公司的委托，简直就是帮助他们赖掉赔款！"

我听了有些不以为然，便道："你总知道人寿保险本来是一种有益于社会经济的新企业；尤其是工薪阶级的人保了寿险，身后有所补助，不致累及寡妇孤儿和社会上的一般人——"

霍桑忽接口道："是的，是的，你的理论当然不错。不过我并不是泛指一般保险公司说的。须知近来有几家投机性质的保险公司，实力不充，利用了种种烦琐片面的章程条文，专门想寻隙赖债。一般常识水准较低的人们，往往会吃这种公司的亏。我生平最厌恶这种欺诈手段。此番我们若是担任调查，差不多就是助纣为虐。你想我们值得干吗？"

这番议论，在事实上的确有几分理由。那么，我们的疑团，只看到底有没有了解的机会了。

霍桑忽立起身来，说道："包朗，你对于这个疑团不是一定要明白它的真相吗？那么，我可以奉陪。我们又何必吝惜这区区车费？此刻时候还早。十二点半有一班快车，我们还来得及动身上乡间去哩。"

我不禁跳起来，应道："我们就动身去侦查吗？"

霍桑点头道："正是，你对于我的见解既然怀疑，我也觉得这案子有注意的价值。我们不如就走一趟吧。"

"你认为这案子值得注意吗？"

"有许多案子在发生的时候，表面上虽很平淡，等到查明了内幕中的真相，却往往不可思议。这种事我们经历得多了，这件案子我看也像有几重黑幕。"

"什么黑幕？可是那十姊妹党的老把戏？"

霍桑呆了一呆，反问我："十姊妹党？你这话怎么讲？"

我解释道："报上说死者的来历虽然不明，却有一个妻子。此番肇祸以后，他的妻子曾有请求免验的举动。当初我还不疑心，现在一听这个朱昇元的消息，死者还保过寿险。若把这两件事合并起来推想，那么他为什么会遭人谋杀，也可想见八九分了。"

霍桑仍似解非解地说道："你的意思认为孔维新的死，是出于他妻子谋杀，目的在于图得他的寿险赔费吗？"

我道："我原是这样想。你可同意？"

霍桑低头想了一想，说道："你这推想不能说不近情理，可是在事实和证据查明以前，便轻下断语，究不是我们当侦探应有的态度。现在我们不必多谈，你快些把应用的衣服和东西收拾好，我们也须换一身装束，准备上车。像这样子到乡村里去，容易惹人家注目。"

我答应了一声，就上楼去收拾旅行时需用的皮包。这皮包我们在两天前才刚用过，今天却又要用它，在常人想来，仆仆风尘，未免辛劳。但我们当侦探的，却都有一种好奇心理做我们的后援，因此，每逢探案，我们总是踊跃从事，精神上既然兴奋，身体上的疲劳，便也自然而然地不在意了。

动人的故事

柳叶村的位置，在新丰车站的西南隅，距离车站有三四里光景。村中住着五六百户人家，大半都是种田为生的。沿村种了许多倒垂的柳树，所以唤作柳叶村。春天毵毵的柳条，把那村庄重重罩住，远望便成一团翠碧，风景非常幽美。这个村子的景色，我们是从新丰镇上一个逆旅主人口中得来的。原来那天我们到新丰站时，已是六点钟相近。九十月的天气，日光已减短了不少，暮色苍茫，已经渐渐暗下来了。我们打听得柳叶村里没有下宿的地方，就定当先在镇上耽搁一夜，等明天早晨再到村里去调查。

那个旅店主人不但熟悉柳叶村里的情形，并且和那死者孔维新也相识。因此，我们一提起柳叶村三个字，他便把那村中的情形告诉我们。我们无意中逢到这个人，真是求之不得，喜出望外。

晚饭过后，霍桑特地把寓主人请到我们房里，和他谈话。我们才知主人姓杨名叫老二，起先本来是柳叶村人，这时他虽然在新丰镇上开了一个客寓，但村里他还有田地房屋，不时仍在村中来往。他的年纪已五十多岁，相貌很谦和，口才又好，这原是旅馆主人应有的资格。霍桑先敬了他一支纸烟，彼此敷衍了几句，便渐渐谈到孔维新的问题上去。

杨老二点着了纸烟，说道："先生们可是认识孔维新的吗？"

霍桑摇了摇头，却不答话。

杨老二道："那么，你们此番到这小村里来，莫非专为着要打听他吗？"

我一边吸烟，一边暗想，这老头儿真厉害，难道我们的本来面目，已被他一眼瞧破？

霍桑答道："不是，我们是到南京去玩的，打算逢站歇脚，一路上玩过去，故而在这里也要耽搁一天半天。孔维新的事，报纸上宣传得很大，我们只是听听新闻罢了。"

杨老二道："既然如此，我也不妨谈谈。孔维新被火车碾死，我也曾去瞧过，模样的确很凄惨。"他忽弯下身子，减低了声调："其实这明明是天理昭彰，一报还一报罢了！"

霍桑张了一张眼睛，似乎略略有些注意，接着他又保持他的淡漠无关的常态。

他轻意地问道："你以为这是因果报应吗？那么，孔维新平日的行为，大概是不十分规矩的了。"

老人连抽了几口烟，仍低声说："规矩不规矩，我不知道，但我听说他起初也曾干过一件犯法的事。"

我不禁插嘴说："唉，什么犯法的事？"

杨老二忽放下了纸烟，沉着脸色答道："他谋杀过一个人！"

霍桑的眼角向我瞥了一瞥，但仍不动声色，自顾自吸着纸烟。

他点点头道："唔，这样说，这个人也死得罪有应得了。但他所干的谋杀的事，你老人家可知道吗？"

老人连连点头道："怎么不知道？但除了我以外，可算得没有别的人知道了。"他的话有着充分的吸引力。我心中暗暗着急，恨不得立刻明白这故事的真相。

我因说道："那么，你能不能说给我们听听？"

这时霍桑也非常知趣，看见老人的纸烟已吸过了大半，又摸出一根白金龙来双手递送过去。

"老板，换一支吸吸，这种味道还不坏。"他又替老人擦火点着。

寓主人吸了几口烟，才缓缓说道："这一件事就发生在六月初。那时孔维新和他的一个朋友叫作周文彦的，一同住在我们寓里。他们操着北边口音，据说要到这里来访亲戚的。我并不疑心，就招留他们住下。可是他们住了一星期多，从不曾出去寻访过亲戚。我就觉得有些不妙。但他们表面上还算安分，不像会做偷盗不法勾当，我也就不放在心上。

"一天黄昏，他们俩一同出去，托言到河边去乘凉的，到回来时却已换了一个人。那周文彦忽然不见，跟孔维新来的，是一位年轻的女子，据说伊是孔维新的妻子。我一见便生疑心。因为他们俩回寓的时候，气息咻咻，神色非常慌张。就在那天晚上，孔维新叫我进去，轻轻叮嘱我，如果有人问及他的妻子，叫我回答没有。我虽勉强应着，心中却明明知道，他们绝不是正式夫妻；那女子大概是他朋友周文彦的妻子，被他占夺过来的。但周文彦哪里去了呢？不是被孔维新干掉了吗？

"过了三天，果然在那六里路外的刘家河里，发现一具无名的少年男尸。于是我的疑问便证实了。"

霍桑似乎觉得这故事很有兴味，便趁着寓主人吐吸着烟略略停顿的机会，催促着发问。

他道："你的意思，可是说河中的尸身，就是被孔维新谋死的周文彦？"

杨老二依旧低声说道："那男尸虽然因为面目腐烂的缘故，没人招领，官中就草草收殓，到底没有证明是谁。但那尸身上一丝不挂，显见是被凶手在行凶以后剥去的。我记得那晚上孔维新引领那女人回寓的时候，他手中却挟着一个衣包，并且自从那女子来寓之后，他们俩足有五天工夫，不曾出他们的房门，就是周文彦的名字，也绝口不再提及。因此种种，都显然可疑。那么，你们想他此番的死，岂不是天理报应吗？"

霍桑点了点头，吐了一口烟，又问道："以后怎么样呢？"

寓主人道："他们随后就往柳叶村里去了。因此，他又给我一个证明。"

"什么证明？"

"他们到柳叶村中的王大宝家去租屋，租屋时，冒称是我的亲戚，王大宝才容许他。这事我后来方才知道。幸而他没有闹出什么别的岔子，我就也不曾深究。"他说到这里，忽又把头凑近我们，鬼鬼祟祟地说："这一次他被火车碾毙以后，本镇的警长，也曾到此地来调查过一次。我到底没有被累，也算是便宜的呢。”

这一段动人的故事，虽还没有确切的证实，但对于我们先前的推理，似乎也可算得到了一层佐证。因为孔维新当初既曾有行凶的可能，此番遭人暗杀当然更近事实。我初料行凶的也许就是他的妻子，因为上海有一班所谓十姊妹党的年轻女子，专门用迷汤的手段，蛊惑男子们进她们的圈套，然后给男子们保了寿险，再下毒手，骗取他们的保险费。现在我们既知道他妻子不是正式夫妇，却是从朋友手中占过来的，情形有些不同。这时那妇人或者和孔维新失欢，伊追念前夫，就发生报复的意念。所以伊就把孔维新对付伊丈夫的方法，同样施在孔维新身上。我认为这个假定在事实上未始没有可能。

但霍桑听了我的意见，还不肯完全赞同。他说寓主人的故事中，还有一个疑团，就是那女子的来历怎样，是否真是周文彦的妻子，到底还没有证实。况且此番孔维新被人谋杀，主谋即使就是那个女子，但也决不至只有那女子一个人。因为在黑夜中行凶，事后又把那尸首移到铁轨上面去，那绝不是一个单身女子做得到的。因这一层，显见内幕中另有凶人，所以我们也不能不做进一步的侦查。我觉得这番话也有理由，就问霍桑怎么样进行。

霍桑说道：“本镇的警长，既然曾到这里来调查研究，可知他对于这案子也有几分注意。我们明天不如先去访他，探探消息，然后再到柳叶村中去探问。你以为怎样？”

我暗想警长的调查，大概只是官样文章，未必有什么可靠的消息，我实在懒得去的。

我答道：“那么，你明天不妨一个人先去见见本镇警长，等你回来以后，我再同你到柳叶村去。”

快破案了

在日光晶莹的下一天的清早，霍桑果真独自出去。约莫隔了一个钟头，他已匆匆回来，神态上似乎非常起劲。我心中疑讶，莫非又出我的意料，他居然从警长那边得到了什么消息？

霍桑不等我开口，便含笑着说："消息多着呢！你瞧。"他从他的衣袋中拿出一本书来给我。

那是一本小册子，书名唤作《平等真义》。我约略翻了几页，是一种宣传社会主义的作品。

我说道："这是近来流行的作品，这本书你从哪里得来的？它对于这案子又有什么关系？"

霍桑道："这是孔维新的著作，我从警察局里得到的。"

我突然注意到："孔维新的作品？那么，他是一个宣传社会主义新少年了。"

"无论如何，'新少年'的头衔总够得上。但瞧他的取名，他是一个怎么样的人，已可料到八九分。"

"既然如此，这谋杀的原因上除了图财复仇以外，又加上了一层主义冲突的因素。那不是更加模糊了吗？"

"你可是说孔维新是主义的党徒吗？好，你这个见解，倒和吴警长的相同。他也以为孔维新混在村中，也许就为着要宣传社会主义。因为近来一般官僚们，将这种思想看作洪水猛兽一样，正预备用种种不同方式的高压手段，把它扑灭。孔维新为小心防卫起见，所以他的行踪就不能不出于秘密。其实你若说孔维新因着主义而遭人暗杀，那你未免太看高这班官僚们了。"

"那么，也许是同党们的自相残害。"

"这样，更空虚无凭了。我想我们不如耐一下子，先去见了那女子再说。"

我同意道："也好。但关于孔维新的行动，你可还得到什么别的消息？"

霍桑答道："据吴警长告诉我，孔维新平时不常和乡人们往来，但柳叶村中有一所小学校，他却去过几次。这一本《平等真义》，就是他送给那小学校校长的。此外我又在村中的邮政代办所里调查过，这两个月中，孔维新也有信札往来。不过他所交往的只有上海的几个书局，别的地址却不曾有过，实际上并无多大助益。"

我应道："这一端也可以窥见他的生活状况的一斑。"

霍桑点点头，又继续道："当三天前晚上，孔维新声言要到无锡去访朋友。他提早吃过了夜饭，从柳叶村出发，预备乘七点多的慢车。那时天色已完全昏黑，他恐怕乘不着火车，动身时非常匆促。不知怎的，他竟会被火车碾死。这就是一般人对于他的惨死的论断。

"他本戴一顶草帽，身边又有两块多钱车费和一只钢表。等他被发现时，这表和钱都已不见，只存一只名片夹在他的马褂袋中。"

我道："消息完了吗？"霍桑笑道："还有一个枝节的消息。那保险公司的稽查朱昇元昨天和我们同车来的。他到了这里，就连夜赶往柳叶村去了。"

我道："唔，他果然也来了。你可知他可曾得到什么确实的消息？"

霍桑摇摇头道："这里的消息，以为孔维新是被火车碾毙的，绝没有一个人疑他被杀。这朱昇元当然也探不出什么来。

其实孔维新即使明白被人谋毙，他的寿险费，论理也应当如数赔偿。可是这班可疑的保险商人却别有用意，所以就有这种'鸡蛋里寻骨'的举动了。"

早餐过后，我们在客寓中又换了一套更朴素些的装束，装作商人模样，接着就出发往柳叶村去。

那时已交阴历九月中旬，西风已渐渐地吹得有劲起来。沿途的柳叶，大半都染上淡黄颜色，真像消逝了青春的少妇。有些因着风力的引诱，都身不由己地离去了它们的故枝，铺盖着那条石条砌成的曲径，呈露出一种萧瑟可怜的秋意。可是我们一路行来，我的心中被疑案所牵绊，没有心思赏识风景。

我暗想这一件案子，根据霍桑的假定，是一件诡秘的谋杀案。可是谋杀的动机，既像谋财，又似复仇，并且孔维新又是一个社会党人，歧路纷出，真叫人无从把握。霍桑在动机方面始终没有表示过意见。他是否已胸有成竹，只是暂不宣布？或是他也和我处于同样的地位？我也没法知道。

我们踏进柳叶村时，还只八点一刻。霍桑先到一爿小茶铺里略坐，并不直接去见孔维新的妻子。我知道他为着谨慎的缘故，大概先要探访一下。他问了几个人，所得到的答复，却和我们已经得到的消息相仿。但有一着，霍桑特别注意。他问这一个星期中，可有什么生客到村里来过，乡村中人，对于这种消息，本来是非常灵敏的。可是都回答没有，只说昨天晚上有一位上海下来的客人，到王大宝家去了一次，当夜就离村去了。接着霍桑又独自往村中的小学校里去了一趟，他回来以后，才同我往孔维新家去。

孔维新住在村中的尽头，和两个农人叫作王大宝、王二宝的同居。这一点我们早已明白。我到了他家，知道孔维新夫妇租了两间靠近广场的小屋，一间卧房，一间是憩坐室。那憩坐室收拾得很清洁，室中靠窗有一只长方桌子，桌上还放着文房四宝和照相架一类的东西，倒像都市人的布置。有一个二十多岁的女子，很有几分姿色，但穿着一件淡青色的布夹顾袍，打扮却很朴素，并且身材瘦损，满面愁容。我瞧见那桌上照片中的一男一女，身材也都瘦损，那女的正就是伊。这时伊正在那桌上整理，旁边还有一个老妇，也在帮着把东西装进一只箱子里去，仿佛预备要动身到什么地方去的模样。

霍桑堆着笑脸向那女子说道："孔夫人，你已在打点行李了吗？"

那女子本想回头来招呼，一听霍桑的话，不禁呆了一呆，张大了眼睛不答。伊分明不知道我们的来历，心中未免诧异着。

霍桑忙接续说："我们是保康寿险公司镇江的分经理，此刻是奉了朱昇元先生的命令来的。他昨晚不是已到这里来见过夫人了吗。"

那女人操着北方口音迟疑着答道："是啊，他已经问明白了，怎么又叫二位劳驾？"

霍桑仍婉声说道："夫人别误会，我们到这里来，并不是有什么为难，其实就是朱先生昨晚的问话，也只是例行的公事。因为敝公司的章程，照例要调查一下的。"

那老妇忽带着本地口音插嘴道："我原说保险赔费，没有什么为难的，不过那朱先生的说话欠圆转些罢了。你现在可以放心去领赔费了。"

女子仍将信将疑地问霍桑道："那么，二位此刻再来有什么勾当？"

霍桑道："不为别的，只因领取赔款，必须夫人亲自到上海总公司去。这一层夫人谅必早已知道。"

那女子点了点头。

霍桑又说道："但像夫人这么年纪，一个人乘车出门，未免有些不便，所以朱先生的意思，最好这里有什么陪伴的人，路上可以放心一些。如果没有人陪，就不妨和朱先生同车去。因此，他特地差我们来关照一声。现在他还在新丰车站上等候回音呢。"

这几句杜撰的假话，霍桑说得非常自然，无论那二十多岁缺乏社会经验的少妇听不出破绽，就是那个同居的老妇，也完全信以为真。

老妇说道："这话真不错。现在的时势，歹人真多。像你这样年轻的姑娘，一个人出门的确有些不方便。"

那女子也低声说道："虽然如此，但我又哪里去找陪伴的人呢？"

伊说着便低下头去，叹了一口气，有一种楚楚可怜的神情。我有些同情伊，偷瞧伊低垂着的面容，越发显得惨白。霍桑也一眼不霎地在瞧着伊。

老妇点头道："孔嫂子，你也真可怜，你的亲戚还远在天津。这里哪里去找熟人？"说到这里，老妇忽皱眉顿足道："咳，这件事真不凑巧。我家二宝虽然正忙着收稻，腾不出身来。大宝本来闲着没有事做，但他偏偏在三天前往常州找生意去了。要是不然的话，不妨就叫他陪你去。孔嫂子，他跟你不是很要好的吗？他一定也很高兴陪你去的。"

霍桑瞧瞧老妇，又向那女子瞅了一眼，忙接口道："既然如此，朱先生是好意，夫人就和朱先生同车去吧。夫人的意思怎样？"

那女子仍低着头，仿佛想了一想，答道："不必了。请你们回复朱先生，谢谢他的好意。我一个人走不妨事的。"

我听伊的口气很坚决，已是推车撞壁，不能再说下去了。但我认为我们要问和应问的说话，还一句没有说起，霍桑可有什么对付伊的方法吗？不料霍桑竟似乎知难而退，就此辞别了出来。我又不禁暗暗失望。可是事实上竟又出乎我的意料。当我走出那王大宝家的时候，我忽见霍桑精神抖擞，似乎已得到了什么线索。

我问他说："霍桑，你对于这事件，是不是已有些眉目？"

霍桑低声答道："何止眉目？快破案了！"

"什么？你怎么能够——"

"现在你姑且不要多问。你先到新丰镇的客寓里去。我还须在这村子里探听一下，少停再和你谈。"

想象力的活跃

霍桑这一番话我原是莫名其妙，而且也不大高兴，但他的计划既然定当，我也没法反抗，只得怀着疑团，一个人先回新丰镇去。我回到寓所时，已交十点半钟，约莫等了两个钟头，霍桑方才回来，神色上却反不及先时那么兴奋。

我急忙问道："怎么样？这事成功了没有？"

霍桑疑迟道："据我看，十分之七八，总可以成功的。可是什么时候才可以成功，此刻我还没有把握。"

唉！他的话又模棱起来了。这件事真是反复太多，我有点忍耐不住。在我疑讶的当儿，霍桑又接续说话：

"我想你不如先回去，我一个人留在这里，以便彻底探明它的真相。这样，我们上海寓里有你照顾，比两个人都候在这里经济得多。"

"那也好。但我要问你一句——"

"现在还不是你随意发问的时候。但你要问一句，那我也许可以回答——什么？"

我直截说道："这一件案子到底真个是谋杀案吗？"

霍桑忽瞧着我作诧异状道："什么？这一层你至今还没有深信？"

我笑道："那么，这里一定是有凶手的了。"

"当然，这也没有怀疑的余地。"

"你想这案子什么时候能够结束呀？"

"我要把这凶手捉到之后，才可算全案了结。"

"那么，这凶手是谁？你也已知道了吗？"

霍桑又向我瞅了一眼，答道："知道的，但不过你的问句早已超出了'一句'的范围，恕我不能奉答。"

我笑道："答了也不妨啊。"

"你现在不必心急，等到结束的时候，我少不得要告诉你。"

哼，这类似卖关子的手段，他又施展出来了！但霍桑的脾气，一般读者们，也早都知道。凡在这个案件将破未破而凶手还没有着落的时候，要想叫他贸然说明，那真是休想！

霍桑忽又笑着向我说道："包朗，你不是觉得困处在迷阵中吗？好，我姑且破例一次，给你一线光明，以便你可以有运用你的想象力的机会。"

"霍桑，你真好！"

"须知我起先本有一种空洞的猜想，这猜想直到今天我看见了孔维新和他妻子合拍的一张肖照，才得证实。那肖照就在他家里憩坐室的桌子上，你总也瞧见了。以外的话，只能等结局时再说。现在你把小皮包交给我，我就要出去，不能同你吃饭。你也应收拾一下，就乘下一班一点二十三分的车回去。再见吧。"

我曾说过，旅行中没有伴侣最是困苦的一件事。这一天我带了霍桑给我的题目，一个人先回上海。我坐在二等车中，不但孤寂，而且满肚子怀着疑团，更是觉得难堪。我听霍桑所说，他似乎已准备拘捕凶手，可是他又不肯和我说明，又不叫我参与，真叫人牙痒痒。他给我一个"运用想象力"的难题。我能不能完篇缴卷呢？

那凶手是谁？我想不会是那个女子吧？我最初的料想，大概是错误的。因为我瞧伊的年纪既轻，满脸都现着忧容，瘦怯怯的身子，绝不像会杀人行凶的女子。况且如果伊是凶手，霍桑也许当时就要动手，绝不会轻轻放过的。这样看来，我先时所料想的十姊妹党式的图财谋夫，的确不近情理了。

那么，孔维新可是有什么冤家，这回事是出于报仇？假使如此，这冤家势必不是柳叶村中的人。因为孔维新住在村中的日子不多，又不常和乡人们来往，决不致结怨。再进一步，如果假定这仇人是从外方寻得来的，又出现了一个难题。因为我们已问过村人，这一星期中，除了昨天晚上的朱昇元以外，绝没有陌生客到过村里。这样，复仇的问题不是又不能成立了吗？

还有那个同居的王大宝，据说在三天前往常州去的。若论时间，好像和这凶手有些相关；并且孔维新身上，还失去一只钢表和两块多钱？似乎确有可疑。但王大宝是一个乡下人，若说单为着这细小的数目，又何至于下这样的毒手？

除此以外，还有那个周文彦怎样下落？这个人究竟溺死了没有？那客寓主人杨老二的猜测，会不会并非事实？这周文彦会不会非但没有死，而且和孔维新的死，反而有关系呢？

我想了一会儿，始终没有头绪，不禁抱怨起霍桑来，他真有些可恶。他教我运用些想象力，我在实际上却四处碰壁！

据他所说，因着孔维新夫妇的那张照片，才得以证实他的猜想，似乎那照片是案中的一个关键。那张夫妇俩合摄的照片，我虽然也瞧见的，但我只觉得他是一个挺秀瘦削的少年，此番横遭惨祸，未免可惜。此外我实在想不出什么。至于霍桑所证实的猜想，到底是什么样的一种猜想？我更是茫无头绪了。

我想来想去，毫无结果，就决计经济我的脑力，把头仰承着车座的椅背，学那晚上霍桑的法子，闭目养神。好容易挨过了几个钟头，等火车到达上海北站，已是万家灯火了。

我叫了一辆黄包车，一直回到爱文路去。我每次出门，总有霍桑做伴，这时霍桑还留在新丰镇上，不知他几时才能够得手回来。因此，我独行踽踽，又不禁发生了寂寞的感想。

当我的黄包车停在寓所门前的时候，忽见办公室中灯光亮着。难道有客人在里面坐待？

但我们的仆人施桂怎么能知道我今天回来，竟把来客留住？若是没有客人，他又在办公室中干些什么？

我一边诧异，一边便开门进去，刚到办公室门前，室门微微开着，灯光和烟臭同时透冒出来。怪了，里面还有人吸烟呢！我抢步进去，果然见一个衣服阔绰，架着墨晶眼镜，留着燕尾须十足绅士式的男客，正跷着两足，坐在书桌旁的那只沙发上，努力在那里吸雪茄。我停住了步，向来客仔细打量，思忖这个人也太放纵了，不知他又为着什么事而来。我放下了皮包，正要请教他几句，那人却先突然开口："包朗，你的车子怎么这样慢？我一样坐黄包车来的竟比你先到六分半钟。"

我一听这几句话，不觉跳了一跳。我的眼睛虽然在灯光底下，没有辨别清楚，我的耳朵却不容易受欺。原来这个来客，就是我的老友霍桑！他怎么也回来了呢？又怎么比我先到？我的想象力这时候又碰壁了！

霍桑似已瞧破我的心事，含笑说道："包朗，你坐下来，不要这样子呆立着。这一件事结果得这样快，我今天竟能和你一同回来，不但出你的意料，就是我自己也没有料到。"

我一边坐在他对面的另一把椅子上，一边缓缓答道："那么，这案子你已破获了吗？"

这时我虽然蕴蓄着种种疑问，但是最扼要而急于要知道的，莫如那案中的主凶。

霍桑吐了一口烟，点点头道："当然，破了。"他说完了这简单的答话，又重新把雪茄送到他的口中，继续地吐吸。

我见他这种暇豫的模样，心中禁不住发火起来。这时他的全功既已告成，难道还要故意作弄我吗？

霍桑忽仰起头来，笑道："包朗，你何必这样急？你眼前急于要知道的，不就是那案中的主凶是谁吗？那很容易，我尽可以请他来和你见见。"

我惊异道："你已把凶手捉住了吗？"

霍桑点点头。

我忙问道："他现在在哪里？"

霍桑道："就在会客室中。"

他立起身来，将窗关上，又下了窗帘，顺手按一按铃。施桂就应声进来。霍桑挥一挥手，施桂早已会意，便重新退出。

会客室怎么做起拘留所来？霍桑既捉住了凶手，为什么不送交官中，却把他关在自己的寓所里？并且这凶手到底是哪一个？我的想象力竟又失却了活动能力！

奋斗史的一页

施桂引进来的一个男子，瞧见了又有些教人惊奇。那人穿着一件青布长衫，身材很瘦削，一顶草帽拿在手里，如果戴在头上，模样似乎更不伦不类。我又瞧他的面貌，满脸上都是黑污，但细瞧他的眉目位置，倒也端正不俗，一双黑眼，奕奕有神，而且他的年纪还轻。经过了一度打量，我仿佛觉得曾在哪里见面过的，只是一时间想不起来。

霍桑忽向他介绍道："这是包朗先生，是我多年的老友。"他又回头向我道："这一位是顾自由先生，他的化名就是孔维新——你今天早晨，不是已见过他的照片了吗？"

他就是孔维新？这真是怪事！他没有被人谋死吗？那么，那个躺在铁轨上的又是谁？这个太骇人的疑问，只是在我脑室中涌现着，我的表情上却还勉强维持着镇静。因为我在这个生客面前，当然不愿意暴露我自己的弱点。

霍桑连忙解释似的答道："这一件事我们早知道内幕中有一层曲折。那个死在铁轨上的一人，就是和顾君同居的王大宝，也就是我们早上所见的那个老妇人的儿子。"接着，他又向孔维新道："顾先生，请坐。现在请你把经历的情形，再详详细细说一遍。我这位老友很喜欢听听呢。"

唉，铁轨上的是王大宝！这个人才是孔维新——顾自由——而且霍桑还口口声声用"先生"的称呼！

　　顾自由答应了，弯了弯腰，坐了下来。他定一定神，便向我点点头，开始解释。

　　他用南方的方言说道："包先生，你不是要我说明王大宝致死的情由吗？请你不要误会，这原是他自己寻死，并不是我有意害他。"

　　我但略略点一点头，并不答话，因为他所说的误会，的确占据了我整个意识。我只等他继续解释。

　　他又说道："我们自从租住了他家的屋子，我原以为他们兄弟俩都是诚实的乡下人，待他非常恭敬。我的妻子尤爱权，也是主张劳动主义的人，对于劳力的农夫们，自然也格外地敬重。谁知王大宝竟误会了，以为我妻子有意于他，他便起了不良的意念。他几次调戏我的妻子。伊一面坚拒，一面却容忍着不告诉我，就怕我闹什么岔子出来。后来我也渐渐地看出来了。爱权也就老实告诉我。但我们是异乡作客，如果一旦和他决裂，未免要吃亏。

　　"我因和爱权计议，最好立即离开那村，往别处去住，但是事实上又不可能。我们的经济，已有不能继续维持的情形，迁居自然谈不到了。当初我本想从著作上维持我们的生活，然而上海的一班书贾非常可恶，我寄了稿子去，一味延宕，不肯把稿费给我。我既没有余钱，又不能再住在村中，就想起无锡有一个同学吕康生，在茂泰面粉厂里办事，不如向他去告借一些，以便暂时迁一个地方再说。

　　"我们计议好了，我定当十三日傍晚动身。因为我恐怕出门的时候，遇到什么熟人，发生意外的纠葛，故而乘晚车动身——"

　　我不禁插口说："唔，请问你为什么如此小心？你所说的意外纠葛，又是指的什么——"

霍桑忽代替他答道："你姑且听下去，等一会儿自然会明白，不要打断他。"

顾自由说："就在那天下午，那王大宝忽然声言要到常州去。我不但不疑心他，并且暗想他既然出了门，我妻子一个人留在村里，不致再被他缠绕，我往无锡去，也可以安心些。谁知他不怀好意，他竟想要谋害我的性命。

"原来那晚上我离村一里多路的模样，王大宝竟伏在一条石桥边的大树后，等我走过那里，他突然跳身出来，举起一根粗棍，从我的背后猛力一击。他一定知道那一条路我必须经过，准备出我不意，打碎我的头颅，结果我的性命。然后他再设法逃罪，回去占我的妻子。幸而他的阴谋没有成功，那一击打在我的肩上。包先生，你也瞧瞧，我肩上的伤痕还没有消退哩。"

顾自由解开了青布长衫的纽子，袒着左肩。我果然瞧见一条青紫的伤痕，确像是木棍所伤。我点了点头，那少年便继续陈说：

"那时是在黑暗的旷野中。我还不知道袭击我的是大宝，以为是路劫的匪徒。我一忍痛，急忙旋转身来抢住那根棍子。可是他握得很紧，我夺不下来。挣扎了一会儿，我一脱手，那棍子就反激在他的额上，同时咯的一声，他立刻倒地。我反而惊奇起来，俯近去一瞧，他的脑壳已破，竟已死了。同时我才知道那人就是我们的房主王大宝。

"这时我的神智已近于昏迷了，不知道怎样才好。我向官中去自首吗？那绝没有人能够信我的说话。那么，我逃走吗？那又未免要延累我的妻子。我寻思了一会儿，就想出这一条换尸的计策来。因为我曾经保过寿险的——"

霍桑突止住他道："请原谅我问你一句。你所以保寿险，可是也有用意的吗？"

顾自由道："是啊，因为爱权的思想性情都和我相合，当时既然不顾众议，打破了家庭专制的魔障，愿意嫁给我，我自然是十二分敬重和感激伊的。我虽知道一个人有了一个脑，两只手，不怕不能供给伊的生活，不过我万一有什么意外的不测，那岂不要害伊的终身？因此，我把积蓄的钱，一半保了寿险，一半做我们一路的费用。"

霍桑点点头道："好了，你说下去吧。"

顾自由继续道："那时我既想到保过寿险，假使我的死耗传出，我的寿险赔款，爱权当然可以领得。那时我再和伊会面，偷偷地一同到远方去，实在是一举两得的事。

"于是我在没办法中就采取了这个作伪的方法。我就把我身上的衣裳脱下来，换在王大宝身上。等到换好以后，我看看他，除了面貌以外，大概都可以相像——"

霍桑吐一口烟，又含笑插言道："像，果然像了，却还有几个破绽，你自己没有注意到。第一，王大宝的身体比你大，你的短袖窄腰的衣服，穿在他身上，越发显得紧窄。第二，你的鞋子也比他的小得多，你竟把它套在他的脚上。这就是最大的疑点。所以我一见尸状，就料想这一身衣服，不是死者本身的原物。"

顾自由答道："霍先生，你的眼光真凶。其实我当时也没法可想。因为我既要使他像我，当然不能不换鞋子，但他的脚大得多，再也穿不上去，我没有办法，只得将鞋跟捺倒了套在他的脚上。不料就在这一点上，我的换尸的秘计，竟被先生瞧出来了。"

霍桑微笑着说："不，除了鞋子，还有第三个疑点，那扣错的马褂纽子，也显见是匆促中换衣的证据。此外，还有王大宝的两只粗而且黑的手——"

顾自由忙接嘴道："唉，这一点我早也有些担心的。他的这一只手，穿了我的一身衣裳，的确有些不称。如果在白昼，难免要引起人家的疑心。"

霍桑道："我们那时虽在黑夜的灯光中，但这一点也没有逃过我的眼睛。"他又瞧着我笑道："包朗，那时死者在足上的一只鞋子，既然因着火车的震动落了下来，还有那右足上的一只，也不过套在足上，鞋跟并没有着上。你可曾注意到这一点？"我被他一问，两颊上觉得一阵热炙。因为我只见一只鞋子落在旁边，还有足上的一只，鞋跟着上不着上，实在不曾留心。

我答道："老实说，我没有这样仔细地注意。但你当时可是就知道这是一件换尸替身案的吗？"

霍桑摇头道："不，那时我对于这几个疑点，觉得反乎常态，只在脑膜上浮着一层疑影。所以我对你说，这里面有几重黑幕。直到今天早晨，我瞧见了顾先生和他夫人的照片，才知道顾先生的身体是瘦削的，比较那天晚上铁轨上的死尸，有显然的不同。而且看照片上的神态肌肤，也不会那样子粗黑。于是我的猜想才得证实。我刚才不是已对你说过了吗？"

我道："虽然，我也运用过我的想象力，却实在寻不出头绪。但你一瞧见了照片，可是就假定这位自由兄就是凶手？"

霍桑道："当然，我还料定他一定就藏匿在附近，只有靠他的夫人做一个引线，所以我就假托保险公司的名义探听伊的口气。伊当真不愿有人陪伴。于是我完全看透，料定破案就在目前。不过人多了反而不便，我就打发你先回上海来。"

死人当然不会叫喊的啊

我点点头略一寻思又说："现在这案子的真相既然明白，那么，还有一个当时我们认为矛盾的疑点，想必也可以有着落了。"

顾自由问我道："什么疑点？"

我道："那司机听得的呼声。"

顾自由点头答道："那是我喊的。我之所以把王大宝的死尸移到铁轨上去，就要消灭他的本来面目，使人家信作是我。这理由是很明显的，我当然希望掩藏事实，要叫人信他是偶然跌在轨上而被火车碾毙的。故而我悄悄地伏在铁轨旁，直到火车近时，我高声喊了一声'哎哟'，方才逃去。"

霍桑又含笑向我说道："死人当然不会叫喊的啊！"

我也用微笑答复他，又回头向顾自由道："这样说，衣袋中的那张名片，不消说也是你故意留在那里的；就是那个表和银洋，也是你自己拿去的。是吗？"

顾自由应道："是的，那钢表是和我时刻不离的，当然舍不得。若说那两块银洋，也是我唯一的防身东西，更不能拿。"

霍桑突然放下了雪茄，插口道："显然，这一着你究竟太冒险。你那晚上从村里出来，人家知道你是往无锡去的，那么，无论如何，车资总应当有的。你要叫人家信作偶然碾死，身上却不留一个钱。这不是一个大破绽吗？"

顾自由瞪目道："可是那时我只觉得两块钱的重要，却想不到这一点了。"

霍桑点点头道："好，你说下去。你喊了一声之后，可是就逃到那个破庙里去的？"

顾自由摇摇手道："不，我还先冒险往柳叶村里去了一趟，然后再到庙里去伏着。我溜进了王家，暗暗地叫醒了我的妻子爱权，就把经过的一切和伊说明。"

霍桑道："那么，我想那一封报告保险公司的信，也是你叮嘱了伊，伊才在第二天十四日发出的。是吗？"

顾自由道："正是，我和伊说明白以后，才从村里退出。幸亏夜深人静，直走到那个三官堂里，终于没有被一个人瞧见。于是我就伏在庙里，整整地饿了一天。直到十四日傍晚，我涂污了面目，冒险直到镇口去买了些食物，才得充饥。接着，我重新伏在庙里，直到今天午后，才一直来到车站，这也是我和爱权约定的。

"我们预备同车到上海来，等伊领到了保险赔费以后，再到旅馆来和我会面。不料我一到车站，霍先生，你已跟在爱权的背后。我只向爱权远远地瞟了一眼，就被先生识破。等到爱权既已上车，你也就强迫我进头等车里去了。"顾自由说到这里，便停顿了向我瞧瞧，似乎问我是否都已明白。

我因向顾自由道："刚才我想要问你，你们夫妇二人，所以这样子化名住在乡村里面，行动又如此小心秘密，莫非就为着婚姻问题？"

顾自由连连点头道："正是。我本是在天津读书的，因为受了旧家庭的压迫，方才出此下策。此中情形，包先生总也明白，不必我细说。但我们这种举动，无论封建社会中人所绝对不能容许，就是自命为维新人物，也不容易给我们同情，举一个例子，我曾往柳叶村的小学校去求一个职务，不料竟遭他们的白眼。"

霍桑的嘴唇牵了一牵，从衔着雪茄的牙缝中，透出声音来说道："这倒不关有没有同情的问题。这里的教育界已沾上了派系的恶习，学校也变作了衙门一般，没有奥援的人，休想插足进去。"

我又问道："还有一节，你起先不是有一个朋友周文彦吗——"

顾自由忽而笑起来道："那就是我妻子尤爱权化装的。因为我们从北平动身，直到上海，恐防被人家识破，故而我叫爱权扮了男装。后来我们住在新丰镇的客寓里，一天黄昏，我们带了衣服，同到荒僻的地方去，伊才换上女装，恢复了伊的本相。但那时候我觉得曾被一个乡下人瞧见，我们赶紧闪避，竟因此吃了一个虚惊。"

我方才明白那客寓主人杨老二所说的故事，原来是附会上去的。

我在这案子结束以前，再须补白几句。

霍桑对于顾自由的供述，又提供了几点证明。他在柳叶村里，查明那王大宝确是一个不良分子，平日不耕不种，专干那些玩女人吃白食一类的勾当。霍桑在火车上时，曾个别向那女子尤爱权问过。伊所说的，和顾自由的话两相符合。但霍桑又曾打过一个电报到无锡茂泰面粉厂去，果真得到了吕康生的回音。

霍桑将这案子侦查明白以后，不但自主地释放了顾自由，却还仍旧替他们保守秘密。等到顾自由的妻子尤爱权，领到了五千元赔费以后，霍桑授意将一千元送给王大宝的母亲，暗暗算作抚恤。其余的四千元他们夫妇俩带往西北去买田垦种，实行他们手脑交用的劳农生活。

这一种处置方法，完全是由于霍桑自主的。不过那保险公司白白地赔了五千块钱，似乎未免太冤。但霍桑的意思，以为这种公司，人家吃他们亏的已不知多少，现在他们自己吃一些小亏，算不得万一的报酬。因为据他所闻，那公司中的分子，都不是正当的商人。这话起初我还不敢深信，谁知六个月后，保康寿险公司倒闭的消息，果然在各报中宣传着，因此我这篇记录也得到了最后的结束。

裹 棉 刀

一件没头没脑的凶案

这案子的纪录，在我的日记册上占着较前的页数。那时我还没结婚，和霍桑一块儿住在爱文路七十七号。一双"光棍"，倒也相处得十二分和谐。这件案子发生的地点，却在苏州，那时候我们俩恰巧一同回苏州去吃我们老同学的喜酒，无意中遭遇了一件诡秘的疑案。

那是十二月二十八日的清早，我刚在床上翻了一个身，张开睡眼向窗上望了一望，还是乌油油的，似乎天还没有亮足。我正想合着眼睛再安眠一刻，猛听得霍桑在隔房直着喉咙叫喊。

"包朗，包朗，快醒醒吧！大概有什么案子——或许是凶案发生了！"

我一听这句刺耳的招呼，不得不掀开了被窝，从床上直跳起来。如此大清早，什么凶案不凶案，莫非霍桑在那里说梦话？我正待问他，忽听得楼下办公室里的电话机正铃铃地响着，我才明白那电话的铃声必已响了好一会儿，方才我因蒙眬未醒，耳官不聪，故而没有听得。但霍桑的官感好像是特别敏锐些，无论醒着，还是当他沉睡的时候，一有什么声响，他也会惊觉的。

我一面穿上衣裤，一面沉沉地思索，早听见霍桑急促的步声，从他的卧房里出来，一直奔下楼去。在这样清早时候，有这样急迫的电话，难道果真有什么凶案？假使如此，那真是事不凑巧了。

原来我们俩昨天刚从上海回苏，后天是我们同学沈伯銮的婚期。我们一来是特地下来吃他的喜酒，二来也想借此机会休息几天，换换新鲜空气。如果此刻真是有凶案发生，那么不但这休息的计划落空，恐怕连喜酒也吃不成呢。一会儿，我又听得霍桑上楼梯的声音，我急急开了房门走出去迎他。

霍桑一见我，向我呆视了一下，便说："包朗，这真是糟透！我们因着觉得上海的喧闹烦扰，想到苏州来休养几天，不料时间先生还容不得我们偷一会儿闲。包朗，眼前又有重大的担子加到我们肩头上来了。"

我忙问道："怎么？当真有什么凶案？"

霍桑点点头："正是，据说是死了一个女子，却不知道是谁杀死的，又是一件没头没脑的凶案。其实我刚才从睡梦中听得了那琅琅不绝的电铃，早料定是一件凶案无疑。"他又解释似的补充说："因为我们回到这里，知道的人不多，况且电话在这个时候来，当然可以料到八九分。"

"这电话是谁打给你的？"

"警厅里的王宝山。"

"可就是昨天晚上来访你的那个王宝山？"

"正是，他新近接任了侦探长的职司，为人倒也谦和。你总也瞧得出。"

我笑道："他一闻得你回苏的消息，便亲自过来问候，的确可算得谦和极了。但他的谦和，恐怕是由于你的大名引动他的吧？"

霍桑摇头道："你不要持论太苛。人家既然肯移尊就教，礼尚往来，我们也不应高自位置。"

"那么你打算怎么样？"

"他约我们在警厅里会面，然后再一同去查验。据他说这是一件无头的疑案，不能不请我们帮助。看起来我们不得不走一遭了。"

我笑了一笑，应道："你既然顾全交谊，我也当然要奉陪了。"

我们冒着晓寒，离了十梓街的寓所，向警厅行进。到那里时，王宝山等候已久。王宝山是个高个子的人，年纪还只三十上下，方方的脸，乌黑的眼睛，看上去像很有能力。他穿一件深青呢骆驼袍子，打扮也还朴素。他一见我们，便操着北方土音，很热诚地欢迎我们。

他说："我这样早来惊扰二位的清梦，实在抱歉得很。承二位不弃，肯来帮我的忙，更是感激不尽。"

霍桑忙应道："宝山兄，别客气。刚才你既然说这案子有些棘手，不能耽搁，那么我们不如就往发案地点去查一下。"

王宝山连连点头道："很好。他家住在花街巷，离此不过半里多路。我们不妨步行，可以顺便谈谈。"他告罪了一声，便在前引导，大家离了警厅，径向花街巷去。

霍桑和他并肩地走，乘机问道："这案子是什么时候发生的？"

王宝山道："发生的时间，据说在昨晚十点半钟，但报到西区的时候已经不早，又从西区里报告到总厅，更从总厅里传信给我，已经是今晨两点三刻了。"

"你一得信息就瞧过一次吗？"

"是的。那家姓姜，主人唤作姜志新，是一个米商，死的就是姜志新的正室，还是个中年妇人。同时屋子里还失去了几件贵重的首饰。"

"怎样死的？"

"看死者的情状，像是刀伤致命，但不知是自杀，还是被杀，情迹上十分离奇。这就是要请教先生们指示的。"

霍桑沉吟了一下，又问道："你可曾和那姜志新谈过话？有没有什么端倪？"

王宝山摇头道："没有。志新在发案之前早已往无锡去了。我还没有机会和他会过。他接了他的妻兄的报警电报，复了一个回电，说乘今天早车回苏州来。"

"那么，此刻他家里还有没有可以问话的人？"

"除了死者的胞兄在发案以后才到场的不算外，志新有一个姑母，和死者一块儿住着。此外还有一个守门的老仆严福和一个供奔走的小童，名叫阿毛。"

"这三个人你都究问过了吗？"

"我约略问过几句。有一个要点，三个人的话是相同的，就是发案的时刻，三个人都说在昨夜二更，约莫在十点半钟。等他们闻得声响奔到房里去，除了地板上的死者，却都不见一个人，并且就屋子的地位看，也绝没有凶手出进的通路。"

尸室中一瞥

霍桑点了点头，便不再续问下去。因为这时我们已到了花街巷。不多几步，王宝山便走进一宅朝南的旧式高屋里去。我们进墙门时，见有两个警士左右站着，谅必是发案以后被派守在这里的。我们穿过了天井，走到内进，有一个穿丝绵黑缎袍子，身材瘦长的中年男子走出来招呼。那人姓许，名守璧，是死者的胞兄。他是裕昌当铺的经理，谈吐很温文，分明有相当的修养。他自从昨夜得了凶耗，便来到这里主持一切。他因着王宝山的介绍，见了霍桑，便说："舍妹一定是被人谋财害命，要请霍先生追究主凶，替舍妹申雪。"霍桑略略应酬了几句，便跟了王宝山上楼，一直到死者的卧房里去。

我们走过客堂，左手转弯，便是楼梯。到了梯顶，迎面就是西侧厢的门口，房门开着。霍桑悄悄地探头进去。我也乘势望了一望，是一个房间。我瞧见一个五十以上的半老妇人，身穿一件玄绸的棉袄，躺在一张榻上，旁边有一个小使女伺候着。老妇的面上满现着惊骇的颜色，伊的头不住地在转侧移动，好似因着受惊太深的缘故，神经上已起了变动。

王宝山低声道："这就是姜志新的姑母，是个老处女。你可要唤伊出来先问一问？"

霍桑摇摇手道："不必，等验过了再问。"

王宝山点点头，又用手向对面一指道："那么，我们可往对面的东侧厢里去——那就是死者姜许氏的卧房。"

这时我们已走到正中客堂楼的门口，门上挂着一副毡质的门帘，瞧不出那门开着还是关着。

霍桑问道："这是什么人的房间？"

王宝山道："这是志新的书房。当他出外的时候，总是关锁的。"

我顺手把那厚重的门帘掀了一掀，果真有一把耶耳氏的铜锁锁着。我们再进一步，便是死者的卧屋，一跨进去，便觉有一股冷气扑面。那一种凄惨的情状，不由得使人毛发耸竖。

那房间是长方形，尺寸很大，东西两面都有窗子，窗框都是广漆的。西面靠天井的一行是明瓦窗，共有六扇，此刻都紧紧关着，沿窗有红木的桌椅。东窗虽只有两扇，却是玻璃的，所以全室的光线，单靠着这窗。对着东窗略偏一些，设一张铜床，床上挂着白色细纱的帐子。铜床斜对面有一只西式梳妆台，台上除了一只瓷壳时钟，一只江西瓷烛盘以外，还有一盏白瓷罩的煤油保险灯。近房门的壁上，排列着两幢朱红漆描金的箱子和一口红木衣橱。

我们转到床前，便见一个穿黑缎灰鼠皮袄和茄花色软缎时式大脚管夹裤的女尸，侧面地倒在地上，一只左脚还搁在床沿上面没有落地。

我不觉失声问道："宝山兄，你不是说这妇人是刀伤致命的吗？为什么竟不见一点血迹？"

王宝山还没有回答，霍桑忽回头来向我瞅了一眼。

他说："你仔细瞧好啦，何必多问？你不见伊的腹部有刀柄露着吗？"

我有些不好意思，觉得自己真太鲁莽。我定睛细瞧果真见妇人腹部的左边，露出一把刀柄。那柄上还裹着一大团棉花，棉花的颜色却已变成了紫黑。我才知道伤口里流出来的血液都被那棉花吸住了，故而别的地方丝毫没有血迹。

霍桑弯着腰注视着那刀柄，自言自语地说："奇怪！"接着他又回头问王宝山道："这个状态和你方才所瞧见的可是一个样子？"

王宝山应道："是，我一到这里，瞧见了这个模样，便吩咐屋中的人们，不许把尸体移动，以便等天明了请先生们来检验。"

霍桑挺直了身子，沉吟道："那么这个状态就很有研究的价值，我们不可不注意一下。"他伸手从衣袋中摸出一个放大镜来，屈了一膝，俯下身子去，先在那凶刀的柄上照察。一会儿，他又衬着一块白布，将那把刀缓缓地拔起来。那刀锋足有三四寸长，可见陷入腹部很深。他随手交给王宝山藏好。

我瞧那死妇人的年纪，约莫有三十，梳着那时流行的"S"形发髻，并不蓬乱。伊的脸是瓜子形，两颊上露出些高凸的颧骨，显然是一个做事有定见的妇人。这时伊的面孔上虽还留着些滕粉残脂，却仍掩不住灰白，嘴唇和眼睛都微微开着，瞧去真有些怕人。伊身上那件黑缎子皮袄的左腋下的一部，松起了许多，好似被人在那里抓了一把的样子。尸体的旁边，有一张红木小茶几，但已横倒在地板上。此外还有许多瓷片的碎块，也散在死者头部的周围。我更将视线移到床上，那条浅紫花绸棉被，虽经动用，但并没有十分扰乱之状。

王宝山忽然说道："这伤痕真有研究的价值。"

霍桑正聚精会神地在那里细验地上的碎瓷片，端详死者的全身。当王宝山自动发言的时候，霍桑正用放大镜瞧到尸体的头部和颈项上面。

他站了起来，才应道："不错。你的意见怎样？"

王宝山道："伤痕偏在左腹，而且刀锋向外，伤口的边沿还有些屈曲的样子，似乎下刀时手有些抖颤不定。先生，你以为怎样？"

霍桑放好了放大镜，答道："你的测度很近情理。请教还有什么高见？"

王宝山顿了一顿，突然冲口而发地说："我以为这样的伤痕，很近于自杀！"他说完了瞧着霍桑的脸，好像要等他下一句批评。

霍桑却毫无表示，安闲地问道："有什么根据？"

王宝山道："我有过好几次经验，凡自杀致死的人，大概都用左手执刀。若使右手执刀，往往都不能致命。因为人们习惯用右手，控制力比较强，常不免因痛缩手。现在这个伤痕竟使我疑到这层。霍先生，你可赞同？"

我见霍桑一眼不霎地凝视着那伤口，沉默地不答，便顺机说："既然是自杀，尸身为什么有这个样子？而且这翻倒的茶几和碎瓷片又有什么意思？"

王宝山寻思道："也许伊自杀时躺在床上，下刀后身体牵动，便从床上拽下来，同时撞翻了床面前的茶几——霍先生，你看这见解怎样？"

霍桑仍抚摸着下颏，沉吟了一会儿，才点头应道："你这见解固然也有意思，但此刻案情还没有明白，若使单靠这外面的迹象，便下断语，似乎还嫌早些。"

王宝山忙道："霍先生，你说得对，我方才的话，本是单凭着迹象而说的。现在先生可要唤那姑母进来问几句？"

霍桑道："很好，费你的心。"

麻线印子

王宝山应命走了出去。霍桑的目光便不住地向四面活动。一会儿，他又兀立着端详那尸体。我在这时缓缓走近那两扇东面的玻璃窗。窗上本有铁栓，此刻却只是虚掩着，并且还露着一寸来往宽的隙缝。我踮起些脚尖，向窗外一望，是一条小巷。我定了一定方向，便知这就是从花街巷通到八良士巷的一条横巷，唤作小八良士巷。我想把窗子开了，向下面瞧瞧，继而一想，这窗子霍桑还没有瞧过，我不可乱动，便只在那广漆窗槛上瞧了一瞧。我忽发现窗槛中央正当隙缝的所在，有一处很显明的摩擦痕迹。

我不禁惊喜地唤道："霍桑，这里有线索呢——"

霍桑忽低声答道："别这样大惊小怪。我已经瞧见了。"

我一回头，忽见霍桑早已立在我的背后，倒使我吃了一惊。我说道："这里有摩擦痕迹，你也已瞧见了吗？"

霍桑点点头，一面又取出放大镜，凑在窗槛上照验。我也跟着细瞧。

我又失声道："唉，霍桑，这痕迹仿佛是因着麻绳的摩擦而成的。"

霍桑立即应道："是，包朗，你的眼光真不错，不过还应修正一下，是麻线，不是麻绳。瞧，那里还有几缕麻丝哩。"

他顺手把窗向内一拉，便呀的一声开了，果然有几缕细麻夹住在窗框下面。我乘势向窗外一望，觉得这房间虽在楼上，但窗口离小八良士巷的地面至多不过十三四英尺，假使有人利用了绳索从这里上下，是有充分可能性的。

我回身向霍桑道："看这情形，方才王宝山的推测有些靠不住。"

霍桑一听，立刻把他的目光从放大镜上移到我的面上，诧异地问道："这话怎么说？"

我答道："王宝山的推测，可惜忽略一些。他只凭着片面的迹象，便疑心是自杀。假使他观察到这个痕迹，可就不会贸贸然下断语了。"

霍桑道："那么，你凭着什么见解竟推翻他的假定？"

我觉得霍桑的口气有些不对，一股自信的勇气，不知不觉地挫折了一半。我缓缓地答道："这窗槛上的麻线摩擦的痕迹，和那窗外是一条幽静的小巷，并且还有那低距离的窗口，这种种难道还算不得有外来的凶手，从这窗口中上下的证据吗？"

霍桑不即回答，又向尸体上相了一相，忽轻轻向我的肩上拍了一下。

他低声道："你开口便说人家忽略，又责人家贸贸然下断，却不知这都是你自己写照！"

"唔！当真如此？"我心里有些不服气。

"你过来瞧吧。这里有一个一根麻线完全的痕迹。你想这样像绿豆粗细的麻线，能够吊得起人吗？即使吊得起人，你凭着什么又假定那人就是凶手？并且那攀绳的地方又在哪里？这两个要点你都没有顾到，便贸贸然推翻人家的猜想！包朗，这可算得公允吗？"

我经他一驳觉得异常懊恼，反问道："那么，照你看，难道真是自杀？"

霍桑斜睨着我说："如果我此刻就答复你，那我自己不是也贸贸然了吗？"

我仍不服气，又问他道："照你的观察，这麻绳既不是吊人用的，又是吊什么用的？"

霍桑还没有回话，忽听得一阵脚步声，王宝山已引了那弯腰蹒跚的姑母进来。那老妇人进得房门，便在近末端的边立定了，抬起头来，向我们俩瞧了一瞧。我觉得伊脸上每一条皱纹中都嵌满了惊悸和愁虑。

伊说道："哪一位先生要和我说话？请走过来些，我实在怕见那……那尸体，我……我……再也不愿近伊！"

霍桑点点头，移过一把椅子，放在床端，又走过来鞠了一个躬，应道："老太太，我要问几句话。请坐。"

老妇抬头向他瞧了一眼，便坐到那椅子上，答道："好，请你问吧。"

霍桑道："你可知道你的内侄媳是什么时候死的？"

"昨晚上二更敲过，十点半钟过后。"

"那时你在哪里？怎么样发觉伊的？请你详细些说。"

老妇顿了一顿，伊的头又摇晃了一下，才答道："那时我在自己房内，还没有睡，猛听得这里有很大的声响，竟使我直跳起来。我——"

霍桑忽剪住问道："很大的声响？当时你觉得是怎样的声响？"

老妇想了一想，方缓缓道："砰的一声，好像有重物落地。这里面又像——有碎碗的声音。"

"那声响共有几次？"

"只有一次，别的不听得什么。"

霍桑沉吟地点头道："唉，只有一次响。"他好像在把这句话细细咀嚼。接着他又道："好了，请你说下去。"

老妇继续说："我一听得这声响，便急急走出房门，高声问了一句'什么事'，却没有人回答。我自然更加觉疑惑起来，便匆匆来到这里。我走到这房门口，用手一推房门，却是虚掩着，我便一直跨了进来。"

"那时妆台上虽点着洋灯，灯光却很暗淡，而且静得可怕。我乘着这光四面一瞧，起初还不见什么，但见妆台上那只钟好像是十点半钟，'嘀嗒嘀嗒'地响着。等到我回过头来，一眼望见了床前面的情景，便不由得魂不附体——唉！先生，这一种可怕的形状，我委实不愿意再想起它！因为我一想起来，真……真要使我发狂啦！"老妇的面色果然陡地惨变，伊的头摇晃得更厉害，一只手索索地掠着伊额角上的几茎灰发，身子也不住地颤动起来。

霍桑用温语安慰了几句，又问道："那时候你可见有什么人在这房里？"

老妇摇头道："没有……没有人。"

"你虽没有直接瞧见，但可曾听得有什么声响？譬如脚步声音？"

"也没有。我曾向四面瞧过，觉得除了那钟摆声响以外，都是静悄悄的——静得怕人！"

霍桑道："你发现以后又怎么样？"

老妇颤声道："我一直奔出房去，高声喊叫严福阿毛两个人。他们是睡在楼下西次间里的。那时候他们也早已听得了这砰的一声响，故而我惊呼的声音还没有停，他们早已赶上楼来。我一见他们，胆壮了许多，便重新一同进来。我叫严福那老头儿上前去摸摸，究竟是怎么一回事。他摸了一下，忽然惊呼说：'头面像冰一般冷，气已经绝了！'他把洋灯旋亮了些，走近去一照，才知道婉珠是刀伤致命的——先生，婉珠是我侄媳的名字。后来，严福又立刻拿了那保险灯，向房中四面照了一照，恐怕有凶手伏在床后或衣橱里面，可是没有一点儿影踪。"

霍桑听到这里，忽而移动目光，先瞧瞧红漆箱子旁边的那口衣橱，又旋过来向王宝山点点头。

王宝山答道："是啊，这就是全案中最难解释的一点。要是有凶手的话，又怎样进出的呀？"他也走进一步，向老妇问道："当你喊叫两个仆人的时候，你不是说你曾奔出房外去叫的吗？"

老妇道："正是。"

王宝山道："那时假使有人从这房里出去，你可能瞧得见？"

老妇摇摇手道："绝没有这一回事。我虽奔出了房去，但就立在房门外面，况且那时候如果有人出去，势必也要下楼梯的。但严福和阿毛两个，恰巧在那时上楼。难道那人有什么隐身法术，他们竟会当面不相见？"

王宝山顿了一顿，又道："还有一句，你在听得声响以后，约莫隔了多少时候才来到这里？"

老妇想了一想，摇晃着头答道："约莫有四五分钟光景吧？"

霍桑忽举起一只手向王宝山道："请原谅，让我先问伊一句。"他便又向老妇道："你怎么耽搁了四五分钟？你方才说那时你还没有睡。可是你已经上了床？"

老妇道："若在往日，那时候我早已登床睡了，但是昨晚却还没有上床。"

"喔，这是什么缘故？你既没有上床，为什么不立刻出来？"

"先生，这也有一个原因。那时我正在房里赶做一双绣花鞋，故而睡迟了些。一听得声响，我不能不先把针线一件件整理好，免得纷乱弄脏，等到放好以后，我才能立起身来出房。"

霍桑注视着伊，缓缓道："那么，那绣花鞋是谁穿的？为什么偏偏在昨天晚上赶做？这不是太凑巧吗？"

王宝山一听霍桑问到这句，不禁连连点头，似乎也觉得这一句很是扼要。

老妇好像有些不自在，低了头答道："鞋是婉珠——我侄媳的，伊预备后天吃喜酒穿的。只因我前几天病了，没有做得成，所以迟到昨天晚上，不得不把它赶好。"

"唉，伊后天准备去吃喜酒？吃谁家的喜酒？"

"后天是大房里的内侄孙女秀珍出阁，我本来也要去的。"

霍桑低头想了一想，便道："宝山兄，对不起，你请问下去吧。"

王宝山便又问道："你从听得声响以后，来到这里，是隔了四五分钟。这四五分钟中，假使有人从这房里出去，你却从西厢房里过来，那么，在那穿堂中也许有碰面的机会，是不是？"

老妇举起一只干瘪露筋的手来，在嘴上抹了一抹，寻思似的答道："对，如果有人出来，自然要被我撞见。因为楼上只有三个房间，中楼是志新的书房，锁着的，若使有人从这里出去，无论他往西厢或下楼，必须打从那条穿堂经过。可是我却没有撞见谁。"

家庭史的一斑

我听到这里，思绪忽自动地活跃起来，心中忽产生一个奇想。那中楼的门口，就在穿堂的中间。我记得那门口上还挂着一副厚毡的门帘。假使有人从这房里出去，便在那门帘里面暂躲一躲，那时这老妇人匆匆和慌忙地走过，自然不容易发觉。据情势上推测，这一点似乎也可算得一种见解。我心中虽这样忖度，但一时却还不敢开口。这就因为我们和王宝山共同探案，这还是初次。我虽不知道他的底细，但看他的言语举止，似乎还当得起"谨细"二字。我若像霍桑先前所说，贸贸然发表意见，万一不中，未免被他暗笑，那就太不值得。

当我默自思忖的时候，霍桑又向那老妇道："好了，现在请你继续说下去。你们发现了你的侄媳被杀死之后，又怎么？"

老妇道："那时我吓得没命，真不知怎样才好。因为志新在昨天黄昏时分往无锡去了，侄媳既死，家中作主的人只存我一个。但我凭空里碰到了这次凶祸，哪里还想得出什么主见？幸亏严福有些胆力，他先陪了阿毛到楼上去找了一会儿，前门后门都是闩得好好的。后来他就差阿毛往阊门我侄媳的母家许府里去报信。等到一点钟光景，阿毛才领了志新的舅兄——就是我侄媳的哥哥——许守璧来。他是给阿毛从被窝中叫起来的。他知道这里人手缺少，我在受惊之后，又必须有人陪伴，便带了一个小使女同来。他问明了情由，才往警区去报告，又往电报局里去打加急电报给志新。后来这位王先生来了，查验了一会儿，才知首饰也被盗去，一副翡翠镯，一朵新光珠花，还有一只常戴的钻戒，等等，约值五六千元。以后一切事，都是由那位许舅爷调度，我都不过问。”

霍桑沉吟了一下，又道：“你可知道你的侄儿往无锡去为了什么事情？”

老妇道：“他是个米业的掮客，平时常往来苏锡两地。但他在无锡的日子多，有时候两个星期回来一次，有时一个星期，也不一定。昨天他也是为了商业上接洽的事去的，本定后天早车回来，一同去吃他们侄女的喜酒。不料横祸飞来，我的内侄媳竟如此惨死！这真是做梦也做不到的啊！”

霍桑道：“你的侄儿往无锡的日期是预定的？还是临时定的？”

老妇道：“他前天已经说定，预备乘昨天晚上七点三十九分的快车动身。”

“这消息可有旁的人知道？”

“这是家里的人都知道的。他是常出门的，每每如此，并不瞒什么人。”

"我的意思，要问你除了家里的人，可有旁的亲友或邻居们知道？"

老妇寻思了一下，才道："邻居们知道不知道，我不能回答——喔，昨天隔壁的根林来过的。"

"根林？他是谁？"

"是隔壁吕师母的弟弟，姓阮。他近来没有生意，住在他姐姐家里。他在下半天没事，常到我们家里来玩。昨天他也来跟阿毛接过龙。"

"接龙？是赌钱吗？"

"是的，那不过是小输赢。"

"他来时可告诉他志新往无锡去的事？"

"我不知道，也许他不会知道这回事。"

霍桑点点头："好，亲友方面怎样呢？"

老妇道："若说亲友，昨天午后，志新的一个表弟仇海生来过。他往无锡的事，也曾谈及。"

霍桑道："唉，一个表弟？他来做什么？"

老妇的头静止了一阵，忽又摇晃起来。伊似乎现着疑迟的状态，呆木木瞧着霍桑，不即回答。

霍桑催着道："你尽说无妨，我不过随便问问。"

老妇才吞吞吐吐地答道："他是来借钱的。"

"你的侄儿志新可曾应许他？"

"没有，因为他不时来这里借钱，志新实在有些瞧不起他。"

霍桑的眼睛闪了一闪，应道："他不时来这里的吗？但当志新不在的时候，他可曾向你的侄媳告借过？"

老妇点头道："他即来这里，总是要开口的，但我的侄媳却从不曾应酬过他一次。"

霍桑点点头，又道："那么，昨天志新在什么时候走的？他动身的时候，那表弟仇海生是不是还留在这里？"

老妇摇头道："没有。海生先走。志新和我侄媳一同在楼下吃过了晚饭，方才上楼来换了衣服动身。"

"那时约几点钟？"

"大约相近七点。"

"他动身以后，可还有人来过？或有人进你侄媳的房里来？"

"没有人。"

"那两个仆人严福和阿毛平时可常进这房里来？"

"他们有时也进来，不过昨天进来不进来，我不知道。"

"那么，你自己呢？"

"我昨天晚上也为着赶做那双鞋子，不曾进来过。"

霍桑问到这里，忽然背负着两手，低垂了头，沉思地不语。

王宝山又利用机会，乘间问道："昨晚上他们夫妇间可曾有口角斗气的事？"

老妇摇头道："没有。他们吃过了晚饭，志新进房来收拾行装的时候，我还听得他们说说笑笑的声音。"

王宝山道："那么，他们平日感情怎样？可曾有过口角的事？"

那老妇想了一想，才道："说到感情，可算很好，不过夫妇之间，口角的事，也是难免的。"

"你能不能举个例？"

"当两星期前，他们俩曾经闹过一次。"

"为了什么事？"

老妇疑迟着道："志新为了近来生意不好，要想把用度节省一些。侄媳却不以为然，彼此便吵起来了。"

王宝山现着注意的神气，点头道："唉，照此说来，你侄媳平日的用度显然是很阔绰的。"

老妇道："虽然算不得怎样阔绰，但伊有好几个同学姊妹，时常往来，那一笔交际费用似乎也不少。"伊晃一晃头，又补充说："不过这笔费用并不是志新供给的，是伊的父亲给伊用的。"

王宝山忽放低了声音说："你侄媳的交际既然很广，你可知伊有没有什么嗜好？譬如赌博等类？"

老妇道："这个我不知道。"

王宝山道："那么，伊可是时常出去的吗？伊出外时那失去的珠钻首饰，是不是时常穿戴的？"

老妇道："伊出外的时候虽不算少，但那尊贵的饰物，除了那只钻戒以外，伊是不常戴的。"

在这个当儿，霍桑忽又取出了放大镜，伏在地上细细察验那些碎块的瓷片。他嘴里喃喃地叽咕着："奇怪，没有烛油，灰尘倒不少。奇怪。"一会儿，他又立起身来，继续向老妇发问：

"还有一句，当你听得声响进来时，室中一切情状是不是和此刻相同？"

老妇道："相同的，除了这位王先生来验过一次以外，没有人动过一动。"伊说时向王探长瞧了一瞧。

"那么，你可记得那时候这扇东窗怎么样？开着还是关着？"

老妇坐了好久，似乎有些支持不住，伊将身子靠住了墙壁，方才答话：

"那可没有留意——仿佛是关着的。"

王宝山插口道："当我进来时，这东窗是虚掩着的，没有下栓。"

霍桑点头道："你没有动过？"

王宝山道："没有。"

霍桑又指着那两只箱子的一只，问那姑母道："那最上面一只开着的小箱，可就是首饰箱？"

老妇道："正是，刚才这位王先生已察看过，箱中的珠花和翠镯还有几件金饰，都已不见了。"

霍桑道："别的箱子上的锁怎么也都开了？"

"这也是发案时的原状。箱上的锁钥，我们已在门背后拾得。"

"那么，别的箱子里的东西可曾失去什么？"

"别的箱子都是衣服，我们也已约略检点过，贵重的皮衣都在，似乎没有遗失，但大半都翻动过了。"

霍桑又指着地上的碎瓷道："这是一个洋蜡烛盘，似乎跟着这小茶几上倒翻下来的。你可知道这东西平时可有旁的人动用？"

老妇寻思道："那蜡烛盘吗？我不知道……但是房间里的东西哪里有旁的人动用？"

霍桑又拾取了一片瓷块仔细瞧验。

我低声问道："你瞧什么？可是瞧指印？"

霍桑不答，忽而向我点了点头道："包朗，你注意着，这烛盘很有关系呢。"

他又向老妇问了一声仇海生的住址，便把那老妇送出房去，辞别下楼。在楼下时他又向严福和阿毛二人盘问，才知严福已被雇用了一年多，那少年阿毛却才来了三个月。严福身材高大，年纪在五十五六。阿毛却有些狡猾的神气，一双骨碌碌的眼睛，配上一个削尖的下颌，有些看不入眼。

霍桑先问严福道："你昨夜在发案以前可曾上楼去过？"

那仆人霎着眼睛答道："没有啊，我在听得了'蓬通'的声响以后，才奔上楼去。先生，你问我有什么意思？"

霍桑不答，又回头问那小伙子阿毛。阿毛也说不曾上楼，口气倒很坚决。但他也承认那隔壁的阮根林来玩过牌。至于其他的话，这两个仆人的答复，大致都和老妇的话相符。

末后，严福又举出了一个疑点，说最近两三天中，常看见有一个衣衫不完的人，在小八良士巷内走来走去，很觉得可疑。

霍桑点点头不答，接着又和死者的胞兄许守璧谈话。

霍桑道："你可知道你妹婿什么时候可以到这里？"

许守璧道："昨晚我打加急电报给他，他一得信息，便覆了一个回电，说乘今天早晨的第一班车来苏。此刻已是九点十分，大概快要到了。"

霍桑从日记册里取出一张火车时刻表来瞧了一会儿，便道："那么，他到这里，至少还有四五十分钟，我等不及了。他回来时，请你转言，此案的情节离奇已极，我此刻还不能发表什么意见。等我把各种证迹整理好了，如果有什么头绪，再来奉告。"

许守璧道："好，但这件事总要恳求先生的大力，求一个水落石出，替亡妹申雪。至于酬劳一节，舍妹夫虽不在这里，兄弟也可以负完全责任。"

霍桑鞠躬道："我一定尽力，请放心。"

他鞠了一个躬，又回身招呼王宝山。王宝山正在那里究问两个仆人，听得霍桑唤他，便走了过来。霍桑拉着他就走。

到了外面花街巷中，霍桑才低声说："这件事我虽然已有一些轮廓，但尚没有证实。此刻我就要下调查功夫。假使能得到什么凭证，立即会通知你。再见。"

他点一点头，便和我一同走出花街巷口。那时巷口刚巧有一头驴子。霍桑招一招手，那驴夫便牵了过来。

霍桑向我道："包朗，你先回去。我还有事，你可不必同去。再见。"他忽地跨上驴子，挥鞭飞奔，琅琅地向西面驰去。

几种见解

我回到十梓街寓所的时候，已是十点相近。霍桑既没有同回，我一个人觉得冷静没趣，又因着那凶案的缘故，满肚子怀着疑团。我虽然急想把它解释一下，却又没有质疑的人。

我吸了一会儿烟，又取了一张上海来的报纸，想借此消遣。不料一翻开来，都是些"交易所"和"信托公司"的广告，还有几件因投机事业而破产自尽的新闻，看了更觉惹厌。我又随便取了一本小说，可是读了几行，却终不能拘束住我纷乱的思绪。不多一会儿，我的思想仍旧自然而然地归结到那疑案上去。

这案子的情节实在非常幻秘。说它自杀吧，却有几处迹象，不能不叫人疑为被杀；然而若使直直截截地指为被杀，却也有抵触的地方，不容易了解。再进一层说，自杀的动机怎么样？被杀的理由怎么样？一时也使人捉摸不着。

我想了一会儿，到底寻不出什么头绪。霍桑既然不在旁边，我虽然有几种见解，但没有质疑的人，终不敢自信为是。

这样胡思乱想地过了一天，我心里觉得非常烦闷。到了傍晚，还不见霍桑回来，我更觉心焦。心想他从姜家出来，在巷口分手时，并不曾说明往哪里去调查，直到此刻还不见回来，似乎他在调查的工作上还不曾得手。我不禁替霍桑担忧起来。

这一件案子本是没头没脑，霍桑可有独到的见解能够抉疑破案，我委实不敢预料。但瞧他出去了一天，还是迟迟不归，就可见这案子显然有些棘手。那么，他对于这件疑案到底有没有破获的希望？万一不能奏功，可不要被那王宝山看轻？

我因了这一层猜想横在脑中，越觉得坐立不安。到了晚饭的时候，胃口也因此大减。吃过了饭，我瞧瞧时钟，已经七点一刻。霍桑仍杳无音信。我思忖无论霍桑今晚归来不归来，我总得等待他一下。若使他果不归，那么，后天沈伯銮的喜酒多半是吃不成了。

我在火炉里添了些煤，又取了一支白金龙纸烟，缓缓地吸着。不料那支烟还没有吸到一半，猛听得敲门的声音。我从安乐椅上直跳起来，料想一定是霍桑来了。因为这样乌黑的夜里，西北风又刮刮地吹着，除了他以外，哪里还有访客的人。我一面想，一面已听得老妈子出去开门。一会儿，忽见一个人轻轻地走进办公室来，但不是霍桑，却是警厅探长王宝山。我虽然不无失望，但在这个枯寂的当儿，来一个可以谈话质疑的人，也未为不可。

我便含笑迎接道："宝山兄，可是那案子上有什么新发现？"我把一把椅子移近火炉，请他坐下。

王宝山坐定以后，先说明了姜志新早已回来，正在料理丧事，他已见过，但对于案情上并无新的发展。接着他又说他是来请教霍桑的，问我他此刻可在里面。我便告诉他霍桑还没有回来，又取了一支烟给他，他谢了一声。

他说道："那么，他和先生分手的时候，可曾发表过什么意见？"

我道："没有。但你所说的意见，指什么说的？"

"你可知道他对于此案究竟认为自杀或是被杀？"

"这真是我所急要解决的问题。可惜他那时对于这个问题，并不曾宣示过一句——宝山兄，我想你对于这层总已有了高见。可能够见教一二？"

王宝山很谦逊地答道："不敢，不敢。我固然也有一些见解，但不敢自信，所以特地来就正。"

我答道："我们都是同道，何必客气？请你老实见教。"

王宝山吸了一支烟，果然说道："我的意见，这案子似乎属于自杀。"他说完了这句，便将纸烟送进嘴里去用力呼吸。

我定一定神，应道："自杀？那么，你总已经得到了确当的根据？"

王宝山道："若说根据，当然也搜集了几种。"

"请教？"

"第一，从时间和地位方面观察，都寻不出凶手的来踪去迹。杀人而没有凶手，这是根本上偏于自杀的要点。第二，从发案的日期和失去的首饰上着想，也有很重要的疑点。"

我插口道："果真？请问疑点在哪里？"

王宝山道："据那姑母说，死者平素的交际很广，费用便也不小。这一件事我已经探听证实。虽说伊的费用是伊的父亲供给的，但就事实上推测，未免教人难信。因为交际的费用是没有限制的，安知死者到了亏空不足的时候，不私下动用伊自己的首饰？况且死者发案的日期，适当他们侄女出阁的前二日。那日的喜筵，死者既不能不去，那么首饰动用的事，势必也没法隐藏。因着这层，死者计无所出，也许因此便出自杀的下策。包先生，你想可近情理？"

我想了一想，缓缓点着头，不加可否地答道："这理论也有见地。"

"不但如此，那姑母说，当两星期前，夫妇们曾为着节省用度的事口角过一次。那就可知他们俩在金钱一件事上，似乎彼此并没有充分的信任和谅解。那么，假使死者果真有私自动用首饰的事，当然也不敢向伊的丈夫直说。因而一旦为势所迫，一方面既没有弥补的方法，他方面也没勇气自认错误，求伊丈夫的原谅，伊在左右没法的局势下，便不得不出于自杀的一途了。"

我默然不表示什么，但自顾自吸烟。

他顿了一顿，又补充说："我看那妇人的自杀，不但借此脱身，还含着诿过卸罪的作用。但瞧伊把箱子一只一只开着，就知伊使人信为因盗害命的意思。伊这般做作，一来自己脱身，二来也不致连累伊母家的名誉。其实——"

"其实什么？"

"这一点上也就足以叫人产生疑团。试想开箱都用钥匙，已足显明不是外来的盗贼所为。况且各箱都开，却单单少了首饰。那一种故设疑迹要人疑为外贼的情状，也断不能逃过明眼人的目光。包先生，你以为对吗？"

我约略点点头："除此以外，还有没有别的根据？"

"还有第三点，我早晨已经说过，就是死者刀锋向外的伤痕，也很近自杀。就这三种根据上观察，我才认伊是自杀。"

我一时不能回答，但把吸残的烟尾往火炉里一丢，又低头沉吟了一下。

一会儿，我回答他道："宝山兄，你的明见，我本不敢妄下批评，但照愚见所及，似乎那三种根据里面，还有可以研究的地方。"

王宝山忙道："这本是我一人的臆想，先生既有高见，正是求之不得。请教？"

我道："宝山兄，你别这样谦虚，大家才可以畅谈。至于我不敢苟同的地方，就是你刚才所说的没有凶手的第一种根据。"

王宝山惊诧道："唉，包先生，你以为这案子是有凶手的了！"

我点头道："正是如此。"

"那么，先生有什么根据？"

"你的观察，似乎认为凶手在时间上既没有逃遁的机会，在地位上又没有隐藏的所在，因此，便认为没有凶手。但我以为凶手在发案之后，不但有从容逃逸的时机，而且也有暂时隐身的地方。"

王宝山张目道："当真如此？我们俩的观察，恰正成了反比例了。"

我继续道："据那姑母说，伊从闻声到走进死者的房去，约有四五分钟的间隔。在这四五分钟中，凶手若从死者的房里出来，经过西厢房的门口而下楼，固然难免有撞见那姑母和两个仆人的危险。但凶手若从东窗中缘绳而下，往小八良士巷逃去，时间上却绰绰有余。那东窗口上有一个麻绳痕迹，你可曾见过？"

王宝山吸了几口烟，答道："见过的。不过我瞧那摩擦的痕迹很是轻微，似乎算不得有人缘绳而下的证据。"

我暗想他对于这个证迹也没有错过，的确也相当地精细。

我答道："那么，你以为这麻绳有什么别的作用？"

王宝山道："我想这也无非是死者故设的疑迹，要人家信为凶手从窗口中进出罢了。"

"很好。那么，我还有另一个可能的见解，从地位上着想，那凶手犯案以后，并不直接逃出。他既从死者房里出来，便即隐匿在中楼门口的厚毡的门帘里面。那里本没有直接的灯光可以照着，况且那老姑母在惊慌忙乱的当儿，伊和仆人们虽从门口走过，当然也不容易发觉。"

王宝山想了一想，才道："照此说来，凶手的躲藏也只是暂时的。以后又怎样脱身？"

我道："就情势上推想，当那个少年仆人阿毛去报信的时候，严福陪在老妇房里。那时候楼下没有人，凶手便自然可以有逃遁的机会。"

王宝山慢慢地答道："我看这一层见解，也须加以证实才能成立。"

我听他的口气，知道他抱定了自杀的见解，所以对于我的两层理由都不赞同。

我说道："我还有几个疑点：死者如果出于自杀，为什么伊在那刀柄上裹了一团棉花？这举动似乎在防血液的流出。为什么呢？这是死者无心裹着的吗？还是有意的？假使出于有意，又含着什么作用？伊既然要自杀了，难道还怕流出血来给人家瞧见？"

王宝山的脸上一阵通红，有些难于答辩的模样。

一会儿，他期期地说："包先生，这本是一个难答的问题，我正自怀疑着。此外还有霍先生所说过的那碎块的瓷烛盘，他认为这东西很有关系，我也不明白关系在什么地方。我现在来拜访，就想求一个解释。现在你把这难题相难，我自然一难就给你难倒了。"

我笑道："宝山兄，我并不是难你。我自己本没有什么成见，不过把我所想到的举出来讨论讨论罢了。"

王宝山也笑着说："那就还好，否则我被你一言难倒，不能下台哩。"

这时我和他都好笑起来。接着，他把纸烟丢了，从椅子上立起来。

他说道："总而言之，这案子的情节复杂已极，像我这样不学无术，自然不能够解决。此刻我们的谈论，只能算是虚拟的猜想。若要明白实情，求一个水落石出，非等霍先生回来是没希望的。"

我应道："这话很是。这案子说它自杀，固然有可疑之处，若说是被杀，也不容易肯定。被杀的缘由是什么？是盗，是奸，或是还有其他的因果？这些也都足困人的脑筋的。"

王宝山道："是啊。但霍先生此刻还不回来，可见他正在那里竭力进行。那么，这案子虽极困难，不能说绝对没有希望。我明天再来拜望吧。"

我应了一声，便不再留他，一直送他出去。

真相的揭露

王宝山辞去的时候，八点半早已敲过。我听听窗外，呼呼的风声，比先前越发紧急。我明知霍桑这时候还不归寓，今晚恐怕未必归来，我正不必等他。但我若上床去睡，料定也是睡不着的，不如趁这空儿，把早晨所经历的案情记录下来，一则备日后成书的资料，二则也可借此消遣，免得虚耗我的脑力。

我执笔写了两个多钟头，精神渐渐地疲乏了。于是我停下笔起来，料想是睡得着了。正在这预备上床的当儿，我忽听得

"蓬蓬"叩门的声响。

我不禁失声呼道："霍桑回来了！"

我不等那老妈子起来，便一直奔出去开门，果真是霍桑回来了。

我欢喜地说："我想你不回来了！怎么此刻才回来？"

霍桑不答，但问我说："你还没有睡？外面怪冷呢。"

我和他一同走到里面。他就坐在火炉旁边的一张安乐椅上，张着两手烤火。

我向他脸上瞧了一下，说道："霍桑，你很疲乏了。你奔走了一天，可曾得到什么端倪？"

霍桑好似没有听得，烤了一会儿火，便取出两支纸烟来，一支给我，一支自己吸着。他向我瞧了一瞧，才慢慢地把我的问句追回来。

他答道："你问那案子吗？那已经破获了！"

我一听这句意外的答语，心房里不由不加速地跳了几跳。"破案了吗？怎么这样容易？"我不无有些惊疑，但瞧瞧霍桑的神色，又不像是开玩笑。

霍桑点头道："正是，半点钟前，我们已经把凶手拿住；并且他自己因为没法狡赖，已经供认了。包朗，我们的责任也可算完成了。"他把背靠着椅背，闭着眼睛吸烟。

奇怪！霍桑凭着什么手段，竟能在一天之中把这一件离奇曲折的凶案完全破获？这案中是有凶手的，显然是被杀。那么，我刚才和王宝山辩论的说话，总算还不曾虚发。

我急忙应道："果真有凶手？这样说，我的观察到底还有几分价值哩。"

霍桑忽张开眼睛，向我点头道："是的，我知道你也早料这案子里是有凶手的。你早晨在姜家里就有过这样的暗示了。"

我答道:"正是,我已和王宝山辩难过一次,他认定自杀,我却不以为然,觉得偏于被杀。现今事既证实,我的见解可就算不得错。"我又把方才和王宝山谈论的话申说了一遍。

霍桑觅了我洋洋得意的状态,便含笑说道:"好,你的见解出乎王宝山之上,那是很可喜的。但你既知道此案出乎谋杀,可也知道杀人的是谁?"

"这却难说,我还没有成见。"

"你姑且假定一下,也许再会被你料中。"

我思索了一下,才道:"按情势而论,那表弟仇海生最是可疑。他借钱不成,结怨就下这毒手。是不是他?"

霍桑摇头道:"说他可疑,固然不错,但他早先就走了。你若仔细想想,还有比他更觉可疑的人。"

"那么,可不是严福所说的那个在小八良士巷中来来去去的衣衫褴褛的人?"

"太空泛了,也不是。"

"也许是那隔壁的阮根林?这人是个失业的赌徒。"

"赌徒?"

"他不是常到姜家去跟那阿毛接龙的吗?"

霍桑吐了一口烟,微笑说:"接接小龙,就算赌徒,你的评论似乎太苛刻了。不,包朗,这个人我也已调查过。不是他。"

我沉吟道:"这却难了。难道那个姑母——"

霍桑忽摇手道:"不是,不是。你怎么越猜越远,竟疑心那老妇会下毒手?"

我答道:"我看这老妇人虽未必直接行凶,可是若说伊知情通谋,也许不仅是猜想。"

"有什么根据？"

"伊是第一个发现凶案的人，说话时似乎也有些吞吞吐吐。伊也许眼见那凶手逃出，却故意掩护着他。你说这猜想——"

霍桑笑着接口道："事实上没有这一回事，你的猜想终于成了猜想。"

我有些不好意思，又道："既然如此，还是你自己说出来吧。你在外面打探了一天，也许发现了什么新的凶手，我当然不会知道。"

霍桑笑道："包朗，你不要推诿，那个凶手并非新发现的，你也是确实知道的。"

我疑讶道："我所知道的，只有这几个人。难道就是那个尖头鼠目的仆人阿毛吗？"

霍桑忽仰起身来，丢了烟尾，大声道："包朗，我料你是猜不着的了。其实也怪不得你，那个凶手真叫人难料。我告诉你吧，那凶手不是别人，就是死者的丈夫姜志新！"

这句话实在出我的意外，不觉呆木了半晌，一时竟还摸不着头脑。

一会儿，我才开口道："这真叫我一辈子也猜不着了！但志新在七点钟后已往无锡，而发案却在十点半钟。第一个时间问题，便已矛盾。难道他昨晚没有往无锡去？"

霍桑道："去是去的，你不记得许守璧说过，他打电报去后，已经接得志新从无锡打来的回电吗？"

"那么，时间问题就更难解释。"

"时间问题，看来好似矛盾，其实半夜后一点三十九分，还有一班夜车可往无锡。你岂不知道？"

我沉默了一下，才道："这真是一个哑谜。你又怎么样能够窥破他的真相？"

霍桑已烧着了另一支纸烟，吸了几口烟，又慢慢地把烟灰弹去了些，才开始回答：

"这案子的情由，先据王宝山说起，杀人而不见凶手——就是在时间和地位上，凶手没有出路——可算得怪秘已极，好像真是自杀。等我一到那里，视察了一会儿，觉得处处有奇怪的迹象。最奇怪的，就是那刀柄上的棉花和碎在地上的瓷烛盘。你想，这两种东西到底有什么作用？"

我摇头道："这就是我和王宝山都不能解释的疑团。你快说明了吧。"

裹棉刀和烛盘的解释

霍桑吐出了一缕烟雾，才道："刀柄上裹棉花的事，目的似乎在塞住血液，这就可以知道不是自杀而是被杀了。因为一个人既然准备死了，为什么再费心思止血呢？"

"对，我也觉得这就是一个被杀的证据。"

"那么，你想那凶手为什么又多费这个手续？"

"这也很难说，止塞血液外流，似乎要使人不觉得谋杀的迹状，是不是？"

霍桑摇头道："还不够。因为那妇人死在房里，若使有人进去见了那种状态，虽没有血，却终是瞒不过的。而且他也没有瞒人的理由。"

"那么究竟有什么作用？"

"棉花的作用虽一样是要止血，但止血的目的，却并不在掩饰死状。"

"目的在哪里？"

"这是很费解的。当时我也索解不得。后来因着别种证迹的印合，才明白刀上裹棉花的用意，在于塞住血液，使人家骤然间不能因着血色的鲜明，紫殷，或凝结，而觉察真正发案的时间。"

我喷着烟雾领悟地说："喔，这样的用意真是很深秘的，我委实想不出。那么，你说那碎掉的瓷烛盘也很奇怪，又有什么意思？"

霍桑答道："那烛盘碎在尸体旁边，真是很奇怪，因为找不出应碎的理由。那烛盘本有一对，一只虽碎，一只却仍在妆台上面。那碎的一只，我曾仔细验过，盘上不但没有烛油，却还盖了一层灰尘，显见它是不常用的。况且发案之后，房中仍点着煤油灯，更没有用烛盘的必要。那么，那烛盘怎么会放到床前的小茶几上去？现在烛盘既在床前，又打成了粉碎，可不是故意放在那里的吗？如果故意，这用意又是什么？不是那凶手要叫人家听得它打碎的声音吗？"

我听得这里，口虽不言，心里却不免还有些疑惑。凶手为什么要制造声响呢？霍桑一见我的神色，似乎已经猜透我的心事。

他又道："这个假定，就一方面讲，好像说不通。因为凡人要干杀人犯罪的事情，断没有故作声响使人家知道的。可是从另一方面看，假使那声响的发作，不是在真正发案的时候，却在别的指定的时候，使人家听了，误以为这响动的时间，就是发案的时间，因此，便把真正犯罪的时间藏去，而不致疑心到他。这不是一个巧妙诈诡的计策吗？"

我不禁惊叹地说："唉，了不得！这个人竟有这样的深思！"

霍桑道："我把棉花止血的疑迹和碎盘作声的作用，互相参合了一下，便假定那凶手犯案的时候，绝不是真在十点半钟。似乎他杀妇之后，隔了若干时候，方才故作声响，使屋中人发觉。从这里再进一步，便可推想到凶人犯案之后，势必先自脱身，然后才作声使人发觉。所以发案以后不见凶手出走的疑问，也就可以连带地解释了。"

"那么，他既已离屋，又用什么方法作弄那声响呢？"

"这就靠其他证迹来掺和了。我曾注意到东窗的广漆窗槛上面，在那里发现了那个麻线印。我又把死妇的状态端详一下，于是那个疑问也立刻得到了解释。就是当凶人杀妇以后，先把伊安放在铁床上面，又在死妇的腋下，穿过一根粗麻线，线的两端，都引到东窗外面去，垂落在小八良士巷的墙上。同时他又将茶几烛盘等物放近床边，预备窗外面的麻线在下面一拉，尸体从床上被拉下来，同时必能将茶几连带翻倒，那便可以打碎烛盘作声了。"他略顿一顿，又补充说："那响声只有一次，也是引起我注意的一点。"

我不禁恍然大悟道："不错，如果因死者和凶手挣扎而作声，当然不只一次。唉，当初我见死妇左腋下面的衣服松起了一块，料想是被人抓起来的，却不知道是麻绳抽去时所留的痕迹。"

霍桑笑道："当时你见了那麻线印，曾说过那是吊人用的啊。"

我也笑了一笑："是的，这麻线的确太细了些。"

霍桑又道："你明白了这几种迹象，就可知道那凶人在行凶之后，还在房里布置一切和搜刮首饰，所费的时间一定不少。他搜括既毕，才安然脱身，等到十点半钟，他往小八良士巷里去拉绳发作那个声响。那么，这凶人又是谁？就种种迹象上推想——譬如用钥匙开箱和只拿首饰，不拿衣服等——绝不是外来的陌生人。但屋内出进的人虽不多，若不经过调查，一时却也难料。后来我盘问了一遍，知道那妇人在伊丈夫动身之前，还是好端端一同吃晚饭的。我才假定那妇人被杀的时间，终是在七点至十点半之间，就是在伊的丈夫动身以后，和那姑母发觉以前。在这个时间当中，据我调查所得，却没有一个人曾进伊的房里去过。

"后来我又想到谁是最后瞧见那许氏活着的人，这人却就是伊的丈夫姜志新。因据伊的姑母说，自从志新去后，没有一个人进过房去，同时伊也没有说伊见伊的侄媳再出房来过。那么，志新可不是就是杀妇人的凶手吗？"

我不禁插口道："这一个推测，若在当时，我是万万想不到的。"

"为什么？"

"我看丈夫杀死妻子，动机既不很显明，未免有些突兀。"

"不错，我当初也觉得很是突兀。我想到他们结婚了几年，终有些夫妻的感情，怎么会忍心下这毒手？后来我又想起那姑母曾说，两星期前，他们夫妻俩曾经因着用度问题口角过。这便可知夫妇们关于经济一层，似乎没有共同谅解的精神，而且志新的近况窘促，也可推想而知。又加着那首饰被盗和被盗的形迹，显然系屋内的人，两相印证，我的假定便越发坚固。"

"动机是经济吗？"

"是的。志新为了经济窘迫的缘故，忽发生图谋妻财的意念，确也是可能的。你总也听得过'柴米夫妻'跟'面包与爱情'一类的话，可知夫妻的结合，经济往往会是重要的因素。你要知道，在现今社会的恶制度之下，如果'经济'一旦和'情谊'冲突起来，那么'情谊'便显得脆弱无力了！"

我叹了一口气："那么，他的实际行动又怎样？"

霍桑道："他昨晚晚饭后，便实行他的计划。他趁他的妻子不备，突然将伊刺死，随即搜取首饰，又布置一切疑迹，为卸罪地步。他离屋以后，到了十点半钟，重新来到小八良士巷，将垂下的麻绳拉动，使凶案暴露；然后他再乘夜车潜往无锡去。这样，可使人深信凶祸的发生，在他动身以后，自然和他丝毫没有关系。你想他的设计巧不巧？"

我咋舌叹道："这种秘计，亏他想得出来！"我顿了一顿，又说："这案子若没有你，我料定谁也寻不出真凶。疑三疑四的结果，少不得要走到迷路上去哩。"

霍桑把腿伸一伸直，缓缓道："其实只要肯用眼睛和脑子，也不难瞧透他的诡计。"

我沉吟了一下，又道："他这计划似乎还有几分危险。"

"什么？"

"当他动身以后，假使有人走进死者的房里去，他的诡计岂不要前功尽弃？"

"不错。但他也许另有安排，我们还没有明白。或是他早知道昨晚他的姑母为着赶做鞋子的缘故，决定不会进去，才胆敢如此，也未可知。"

"那么，你当时既已窥破了他的秘计，为什么再碌碌奔走？你今天一天工夫到底干些什么？"

霍桑道："那时我只凭着假定的猜想，况且还有几个可能的人，怎能不加证实，贸贸然便自决定？所以我诘问既毕，离了姜家，为周密起见，先去访问那仇海生。海生坚决地宣誓，他借钱不遂，离了姜家，绝不会再去。我又去找那个阮根林问了几句，他也没有在晚间上楼去的可能。后来我才归结到志新身上。我瞧瞧火车表上，九点四十七分有一班快车可往无锡，便又骑了驴子赶往车站。

"我到了无锡，目的就要打听志新近来有没有经济恐慌。他是米业掮客，凡米业中人都认识他。我费了半天工夫，方始寻到了一个和他熟悉而有关系的朋友，叫作朱寿生。他便仔仔细细地告诉我，朱寿生说：'志新在五月里因着办交易所的投机事业，弄到了好一注钱。他便不肯安分，悄悄地娶了一个土娼，就在无锡另立门户。但投机事业本来是忽来忽去的。近几个月来，他大受亏折，可是开销却是有增无减，因此亏空得很大。不知怎的，今天清晨，他忽把一注两千块的小债料理清楚，但一霎眼间，他又回到苏州去了。'

"我一得到这个信息，才敢确定我的猜想。我便乘七点四十三分的晚班专车回到苏州，到得这里，已是八点半钟。我一直往警厅里去见王宝山，他正从你这里回去。我一见他便把所发现的理论和事实逐条说明。他也是惊奇莫名。他的目光始终被他那自杀的成见遮蔽着，所以便不知不觉地走到歧路上去了。"

我答道："他方才和我谈话的时候，对于他自己所抱的见解，还觉得是根据确凿呢。"

霍桑道："那自杀的见解，最初进入他的脑子，我料想就在那伤痕上面。那伤痕固然是很像自杀的，可惜他目光太偏专注在一处。假使他能注意到刀柄上的棉花，更瞧到死妇的颈项上去，便可发现伊项间有两个指印。那就可推想死妇致死的缘由，必定被凶手左手按住了咽喉，右手执刀刺进伊的腹部，因而所留的伤痕，便致偏左而锋口也向外了。"

我道："虽然，我瞧他为人，似乎还比寻常的侦探先生们高出一筹，不料一着错，满盘错，这一次他竟完全失败。可见'成见'二字，真足以害人啊！"

霍桑点头道："包朗，你这话真有道理。凡人探案之初，一抱了成见，就不容易回反过来，而事实的真相，也越弄越模糊，绝没有揭露的希望。那时他的目光既为幻象所蔽，只注意在和他见解相合的地方。凡有和他相反或抵触的地方，他的视线不但不会遍到，就是明明见到，他也只想曲为譬解，却不愿推翻了自己的成见去服从的。这原也是人们心理上普通的弱点。"

"对，王宝山的失败，原因也就在于此。假使他能虚怀从事，面面都能顾到，那么，结果怎样，我们也不能预料。——你刚才见了王宝山以后又怎样？"

霍桑道："我们谈了一会儿，便一同到花街巷去见姜志新。那时他正逍遥自在，自以为他的秘计是神不知鬼不觉的，再也不会破露。不料我一见他的面，立刻指数他的阴谋。他突然间听了，那一种惊怖失措的神态，真不能用言语形容。他知道一切完了，并不声辩一句，就跟同我们到警厅去。

"厅长亲自问了一遍，他也直认不讳。他说因为营业亏折的缘故，曾向他的妻子商借首饰。但那首饰是他妻子私有的食物，不肯借给他用。他便蓄恨在心，随即摆布诡计，下这毒手。

"关于他所盗的首饰的下落，据他自己说，已经向他的朋友变价还了债。"

我觉得全案的情节，在几点钟前，正像乱丝一般，寻不出头绪。现在经着霍桑的剖解，竟整理得井井有条。试想这样一件幻复幽秘的疑案，一经霍桑的手，便立刻能够水落石出，真不能不使人五体投地。

我因说道："霍桑，你真是一个——"

霍桑忽从椅子上直跳起来，喊道："包朗，你不听得电铃响吗？大概又有什么消息来了。"他忙向电话筒走去。我想在这深夜时候又有什么消息，难道又发生什么凶案？

一会儿，霍桑已把电话挂断，忽而背负着两手，摇头叹息。

我问道："什么消息？"

霍桑道："姜志新已押在所里自尽而死了！"

我见他长叹不悦的状态，反觉莫名其妙。我反问道："霍桑，你叹息什么？志新的死，罪有应得，他若不自尽，早晚也不免要伏法的。你莫非还可惜他？"

霍桑把两只眼睛向我瞪了一眼，慢慢地道："包朗，你仔细想想，杀人的罪，志新固然应得，但他那杀人的动机，是什么？再进一层想，这罪的主因，又应归给谁呢？"

我听到这些问句，才知道他又在那里发牢骚了，忙用别的说话劝解他。

我道："霍桑，算了吧。这是整个社会问题，我们的能力，眼前也管不得许多。你不听得窗外的风声呼呼地响着吗？这样寒冷的深夜，我们快些睡吧。明天休息一天，后天就要去吃沈伯銮的喜酒。你别空自伤心吧。"

双　殉

不如意事

在我国科举制度盛行的时代，有两句形容所谓"读书人"的得意话，就是"洞房花烛夜，金榜题名时"。凭现代眼光看，这两句话似乎已近乎陈腐而不合时宜，可是类乎这话的事实却是依旧有的。例如我的小学时老同学伍子楚结婚的那天，有几个有些"遗老"头脑的朋友，竟也把这两句话移赠他。

伍子楚的禀赋聪颖不凡，家境又好。在两月以前，他刚从美国得了哲学博士的学位回来。一回来后，就被南京大学聘去，担任哲学教授。他在留学的时候，已不时有著作在国内各种报章杂志上发表，所以他的姓名早已被一般学术界上的人所熟稔。那婚约又是他五年前未出国时自己订定的。新娘叫张美侠，是北平高等师范里毕业的，已在上海务强中学里当了两年教员。伊的父亲张武卿是个著名土木工程师。若说新娘的品貌，又是一个丰姿绰约的美女。所以在一般旧头脑的眼光里，伍子楚那天，真有旧时代所说的这两句得意话的情景。不料"不如意事常八九"，事实上偏偏发生了意外的岔子，不幸又应了那句"乐极生悲"的古话。

婚期是九月二十六日。我也是贺客之一。我先到了伍子楚家里，看见贺客济济，排场也很阔绰，但我和伍子楚道过了喜，又说了几句话以后，我忽似感觉得有一种不可名状的暗示——仿佛祸患之神将次降临，冥冥中已露出一种先兆。但在当时，我只以为是我自己心理上的幻象，自然也绝不在意。

到了下午三时，行礼时刻将近，我也跟着一般宾客们，坐了汽车往圣彼得教堂去观礼。伍子楚和新娘的父亲张武卿都是基督教徒。新娘张美侠在幼年时已受过洗礼，成年后虽没有正式进教，但在教堂中举行基督教仪式的新婚当然是同意的。

礼堂中扎着些竹叶松枝等类，点缀着许多五色的玻璃小灯，布置得华而不奢，别有一种庄严隆重的气象。那时男女两宅的宾客早已满座，钢琴和提琴合奏的乐声悠扬悦耳。礼堂中的宾客虽已满座，但除了乐声以外，都静默无哗，显得这婚礼的庄肃隆重；比较那繁缛喧闹有时简直闹得乌烟瘴气反而失去了隆重意义的旧式婚礼，真是不可同日而语。

一个道貌岸然穿着黑色礼服的老年牧师，捧着经文，缓缓地从休息室中走出来，到了经坛下面站住。那乐声便也改了调子，奏起瓦格纳的"婚礼进行曲"（Wedding March）来。

众宾的眼光都向礼堂两旁的门口瞧着。我见右边的门里，一个五六岁的女孩提着花篮，缓步进来；花女后面，另有一个陪新女郎，穿着一身绯色的衣裙，打扮得非常艳丽；更后，就是那穿礼服的秃顶而肥胖的做工程师的张武卿，扶着他的打扮得像天仙化人般的女儿，按着乐声，一步一步地踏着节拍进来；新娘后面另有一个捧纱的小童，穿着一身白绸的童装，活泼可爱。新娘低垂着头，似乎有些害羞的样子，因着头部罩着白纱，面貌瞧不清楚。所以许多少年男宾的目光大部分都瞧着那个陪新女郎。这陪新女郎也长得不差，身材很苗条，圆圆的脸，敏活的眸子，樱唇小口，很妩媚动人，不过皮肤似乎不及新娘的柔嫩和白皙。

左边门里，那个穿着西式大礼服的新郎伍子楚和一个男子陪新，也依着乐声的节奏，缓步前进。伍子楚的相貌也不差，皮肤虽苍黑一些，但隆直的鼻梁，乌黑有神的眸子，有一种英爽的丰姿，何况在"佛要金装人要衣装"的条件之下，更显得英俊异常。他和那个男陪新的步子虽也非常缓慢，可是终比新娘先到经坛面前。新娘却让客人们伸酸了头颈，才姗姗来迟地到达坛前。张武卿放了他女儿的手，退到后座上去。新娘便独自和新郎并肩地立着。

老牧师开始诵读经文。大众仍保持着静默。

这个当儿，忽有一个少年从后面的座上立起身来，急步咯咯地走到前座，好似他在后面瞧不清楚，故而想换一个座位。这是在公众集合场所——尤其是举行任何仪式时——的一种莽撞失态的举动，足以反映出那人的教育程度的幼稚和修养的不足。因此，有许多人带些厌憎或者竟是鄙视的目光，不期而然地都集注在那人的身上。幸而他到了前座，决不理会。礼堂的秩序总算不曾因此破坏。

一会儿牧师诵经完毕，抬头起来，依着婚礼的条文，向伍子楚询问："你可愿意终身爱伊，安慰伊，敬重伊，保护伊，而和伊百年偕老？"

伍子楚大概照例答一个"愿"字，但声音似乎很低。我因坐得远些，听不出来。老牧师又回头向新娘发同样的问句。他刚说到最后的"……和他百年偕老——"那新娘忽似摇了摇头。但新娘的答语怎样，不但宾客们没有听得，连那主行婚礼的牧师似乎也没听清楚。那老牧师的眼光，重新回到了礼文上面，正要继续下去，忽而有一种唦唦的莺声破空而起："我不愿！"

这是一种意外，也是见所未见的现象！

　　老牧师似出不意，手中仍执着那本礼文，却张大了眼睛，兀自向新娘呆瞧。张武卿已直立起来，宾客座中也在唧唧哝哝地诧异。礼堂的静寂立即被破坏。我也大吃一惊，立起来向前瞧时，看见张武卿正握着他的女儿的手腕，近乎声势汹汹。

　　新娘又大声呼道："我不愿！我不愿！"

　　老牧师便高举一手，大声向大众宣告："既然如此，这婚姻不是上帝所允许的！我不能行礼了！"

卖文价格的新纪录

　　这一次的经历，我真是一辈子不能忘怀。当伍张两家的亲戚朋友们从礼堂中退出来时，秩序乱了，人人脸上都刻画着错愕或懊丧的线条。纷扰和喧嚣的情状，在这庄严肃穆的礼堂中也是难得瞧见。

　　我揣想伍子楚遭受了这样的变端，心中应有什么样的感想：羞耻？惊骇？或是悲愤？故而我们一回到柳荫路九九号他的家里，我就想凭着老同学的资格，安慰他几句。可是他回家以后，除了向宾客们鞠躬道歉请他们各自回去以外，绝没有说一句话。他的呆沉沉的脸上也没有表示，不知他是悲是喜。好像他是一个没有感情的动物，虽是这种万分严重的刺激，也不足以扰动他的心绪。我记得他和我同学的时候，他本是一个富于热情的少年。难道他留学了几年，受了西方机械生活的影响，他自身也变作了一种没有感情的机械了吗？

　　我曾冒昧地问他，他对于这回事有什么感想。

　　他却冷冷地答道："有什么感想呢？事既如此，也只索如此罢了！"

这一句又像丧气又像轻意的话足以显示他的态度的冷漠。

我又问道："那么你可知道这意外的事情有什么起因？"

他道："我怎么会知道？但这是人家的私事，似乎不在你们侦探范围以内。你还是少费些闲心思吧！"

他答语的声音冷峭而使人难堪。我当时受了这几句奚落的话，几乎忍受不住，想要责斥他的不知好歹。但我回想到数年的友谊，究不便发作，便即悻悻地辞出。我带一团高兴到他的家里去，回出来时却换了一肚子懊恼！他家里住在柳荫路。我一出门，便雇车往爱文路霍桑那里去，打算把我的疑团请他解释一下。

我觉得这件事一定有一种隐藏的秘密：新娘怎么竟会临时悔婚？他们本是自由订婚的，不比得旧式的强迫婚姻或许会有这种本人不愿的情形。原因是什么？是不是伊别有所爱？在新郎伍子楚方面，对于这个变端，可是预先知道的？我记得当我早晨进去向他道喜的时候，他的笑容似乎出于勉强；事发以后，他又现着漠不关心的样子，又不许人家查究。可见这一着对于一般人是意外的棋子，而子楚绝不会完全不知道——并且很像他的本意也愿意如此。不过这是我个人的推想，在霍桑眼中也许别有见解。

霍桑不在寓里。我等了一个多钟头，仍不见他回来。深秋的天气，到五点多钟已渐渐黑下来。我等得无聊，又只得失望回去。

这一夜我竟睡不安宁。到了第二天二十七日早晨，忽又有一种意外的消息更使我吃惊不小。

《上海日报》的本埠新闻栏中，登着一节骇人的新闻，标题用大号字排登："美满婚姻的中变！"

那新闻的上半节记着圣彼得教堂举行婚礼的情形，那是我眼见的；下半节却说新娘张美侠已中毒而死，这是在我意料之外的。那新闻虽敷衍了一大篇，可是大半是属于渲染的空话，事实不很详细。只说张美侠从教堂中回家以后，被伊的父亲斥责了几句，伊便回房去睡，睡后竟不再苏醒。后据医生检验，说伊中了安眠药剂的毒，似乎伊是自杀的。

这件事越闹越严重，我不能不急急去见霍桑。张美侠果真是自杀的吗？如果是的，伊为什么自杀？这里面显然有疑窦。昨夜我料伊所以临时悔婚，或因另外爱上了别的男子，现在伊和伍子楚的婚礼既然没有成就，他们的婚约已有解除的可能。那么伊为什么反而又自杀？

我吃过早饭，和我的佩芹说了一声，便带了这难于攻破的疑团赶到霍桑家去。霍桑一见我进去，忽从藤椅上直立起来：

"唉，包朗，来得好！来得巧！我正要找你。你昨天不是喜酒没有吃成，后来到这里来过一次的吗？唔，这件事已经另生变化哩。"

书桌上有一张翻开的报纸。我知道张美侠服毒的消息，他一定也已知道。

我指着报纸，说："你也是从报纸上知道的？"

霍桑把他身上的一件国产毛质条纹睡衣的前襟，整一整，瞧着我反问："你可是指张美侠中毒的一回事？那当然是的。不过除此以外还有一件更奇怪的事哩！"

"什么呀？"我更诧异了。

霍桑走到书桌面前，开了抽屉，取出了一大卷钞票，走过来把钞票授给我。

"你数一数。多少？"

"莫名其妙"是我当时的反应。我一边把呢帽放下,一边照着他的话,把纸币数了一遍。

我答道:"一千元。什么意思?"

霍桑似乎没有听得,又问道:"包朗,我知道你卖文是以千字计算的。我现在也要卖文了,但是我是每'个'字计算的。你想一千元一'个'字,这代价可也能算得高贵吗?"

这话更是突如其来,我不知道有什么用意,一时间实在摸不着头绪。

我趁机笑道:"这代价可说全世界只有你一个人享受。那个著《百愁门》的英国名作家吉百龄,曾有过一先令①一字的事实,传为文坛佳话。现在你创了卖文价格的世界纪录,我想一般文字劳工都要羡慕煞你了。"

霍桑忽把灼灼的双目注视在我的脸上,正色道:"包朗,你以为我说笑话?……不!真的!真有一个人要我侦查一件事。侦查的结果,只需我答复他一个字。那一个字的代价就是这一千元!"

谜团已漏了一丝隙缝,丈二和尚我已摸着了些肩膊。

我应道:"原来如此,那倒怪有趣。但我们刚才正说到张美侠的事情,你怎么岔到卖文卖字上去——"

"我说的就是关于张美侠的问题。"他插口截住我。

"唔?"

"那人要我侦查的,就是张美侠的死,究竟是自杀,还是被杀。"

"谁委托你的?"

---

① "先令"是英国旧辅币名。1 英镑 =20 先令。

"连我也不知道。"

"喔？那么，这钱又从哪里来的？"

"自己来的！"

我又不禁呆住了。他的正襟危坐的姿态又绝不像闹玩笑。

我又问道："霍桑，这究竟是怎么一回事？"

霍桑不答，忽而反身从抽屉中取出一张纸来，旋过来向我解释："今天早晨，施桂从前门的信箱中取出一个纸包，包中有一千元纸币和一张信笺。你坐下来自己瞧吧。"

他把那张纸给了我，回身坐到那藤椅上去。我依言坐在他对面的一张温软的安乐椅上，仔细瞧那信笺。那是一张洁白的西纸，质地很坚实精致，大小和西式的信笺相仿，信上有几行毛笔字，下面却没有署名。

那信道：

霍桑先生：

现在请你侦查一件事。共和路三百号张美侠的死，自杀还是被杀。若是自杀，请你在《国民日报》上登一个'是'字；倘然被杀，可登一个'否'字。附奉一千元作为酬劳。但请你不必追究我的底细。

我说："这真是奇事。像这种不知谁何的委托，在你的经历中还是首见。"

霍桑点头道："是。但你在这张纸上可能得到什么？"

"这几个字笔力很有劲，定是男子写的。"

"不错。别的呢？"

"这个人似乎为着掩藏他的真相，有几个字故意写得曲曲不整。”

“还有呢？”

“字的墨迹很淡，可见得写的时候很急促。除此以外，我瞧不出什么。”

霍桑取出两支白金龙纸烟，把一支敬我，一支自己烧着。他静静地呼吸了几口，方才答话。

他道：“我所知道的，略略比你多一些。这个人平日是常用钢笔的；他也很有钱；并且是一个有新头脑的人物。”

我把纸烟烧着了，听了这几句话，沉思了一下，又用怀疑的目光瞧他：“你这假定有根据吗？”

“自然有！我几时会信口乱道过？你瞧，那屈曲的字并不一例如此，有几个字写得很好。可见他并不是要掩藏手迹，却是因着用不惯毛笔的缘故。那墨色的淡薄也是一种不常用毛笔的凭证。你若再仔细瞧瞧，便可见那纸的三边切得很齐，那上端的一边却是用小刀裁过的。可见这纸定是那人印着姓名的特制的信笺，他要掩藏真相，故而特地裁去的。信笺既如此讲究，又不惜巨款先把酬劳送来，可知他手里一定很阔绰了。”

“你怎知道他又是一个有新头脑的人？”

“他叫我把答复登在《国民日报》上，不登在《申报》《时报》上，可见他平日专阅《国民日报》，倾向于新派的。”

“我看这一看法理由不充足。”

“唔？”

“《国民日报》虽然是偏于新派的报纸，但他叫你把答复登在这报上，不能就说定他平日是常看这报纸的。因为《国民日报》的销路比较小些。他也许要避免人家的注意，才要你在这报上答复。”

霍桑点头道："对，你的话也有理由。但是我还有一种证据。那包纸币和这信笺的包皮纸，就是一张昨天的《国民日报》，可见他是常阅它的了。但这个人是谁的问题，我们姑且守约，不必细研——唉，包朗，你现在不是有什么话要告诉我吗？"

我就把昨夜经过的情形，伍子楚在事前事后的态度和我心中的怀疑，向霍桑仔细说了一遍。霍桑合了眼缝，静静地倾听，缓缓地吐吸着纸烟。

他听我说完，皱着眉峰，说："这样看，我的想法有些靠不住了。我起初还以为这个委托人，就是这个婚约中失败的伍子楚。但他受了这样的惊变，既然毫无所动，显见他早有准备，并且也乐于如此。加上他不愿你多问的态度，这个人更加可疑哩。"

我道："原是啊！我为主张公道起见，实在不能替我的朋友隐讳。他的确很可疑。你想张美侠的死，他可会有关系？"

"这还难说。我们在搜集事实以前，不便空下断语。但有一点，我敢说定。这案子假使是恋爱问题，那一定逃不脱三角式的老例。"

"是，我也这样想。但假使张美侠别有所爱，那么现在伊既有解除婚约的可能，为什么反又自杀？"

霍桑弹去了些烟灰，闭着眼睛沉吟了一下。

他道："我以为自杀被杀，还有问题。"

"喔，你以为有被杀的可能？"

"这话我还不能确切地回答你。不过你先想一想，伊假使有自杀的决心，早就可以实行，何必往礼堂中去出了一番丑，然后再自杀？"

"伊起初也许并无死意，后来给伊父亲训斥以后，因羞愤而出此，也是可能的事。"

霍桑把烟尾丢了，又把那宽大的睡衣拢了一拢，低垂了头，默然不答。

我问道："你现在打算怎么办？"

他抬头说："我们不必空谈，且往张家去问几句再说。"

我也把残烟丢入灰碟，点头道："很好。但我们若使能够知道了你的这一位不知姓名的委托人，从他身上也许更容易得到些光明。"

"虽然，我们为守约计，不便先从这方面进行。我想这个人既然如此关心，一定和这案子有密切关系。他的真相迟早总会显露。"

"这样，这案中一定有两个男子了。"

"大概是的。不过你还不能就说这两个人都有直接的恋爱关系。"

"那么你想这三角问题究竟是两男一女？还是两女一男？"

霍桑把两手撑在藤椅边上，缓缓地立起来。

他又皱眉道："这就是我们要解决的问题。你问得太性急了。'坐而言，不如起而行'。你等一等，我去换衣服。"

侦 查

我们往张武卿家去时，假托着伍子楚的朋友的名义，特地去慰问。但我们进门时，还不见有丧事的排场。那张武卿夫妇俩却正在书室中有什么争论。武卿的夫人年纪比武卿大些，在五十上下，打扮很朴素，脸上却满面怒容。他们俩一见我们进去，立即停口，表示出很欢迎我们的样子。坐定以后，张武卿开端的几句话便出我们的意料。

他大声道："二位来得正巧！昨夜我写了一封信给贵友，报告小女的死耗，并道歉意。现在情势变异了！"

他写给伍子楚的信上说些什么？我们会不会露出破绽？我开始惶惑。

霍桑接口道："恭喜你！可是令爱已经苏醒了？"

张武卿把诧异的目光瞧着霍桑，连连点头。我才领悟到不见办丧景状和老夫妇脸上也没有怎样悲戚的缘由。

张武卿答道："正是，正是。那委实是可喜的！昨夜十点钟时，三位医生都已回绝，我们也绝望了。可是到了半夜十二点钟光景，伊忽缓缓地苏醒过来。此刻伊正熟睡着，谅来不碍了。我正想报信给子楚呢。"

霍桑问道："我听说令爱中的是安神药水的毒。你可知道伊怎样服毒的？"

张武卿举手在他的秃发的顶上摸了一摸，摇头道："这原是我的不是。昨天我们从礼拜堂回来以后，我气愤不过，将伊训斥了几句，不料伊就寻短见。"

"伊所服的安神药水，可是你们家里现有的东西？"

"不，不。我们家里没有这种劳什子！"

"那么，药水从哪里来的？可是伊出去买来的？"

"谅必如此。我想伊一定是先前预备的。因为我曾查问过，我训斥伊以后，伊并没叫人给伊买过什么东西。"

霍桑进逼一句："请恕我冒昧。令爱为什么早先就预备好安神药？在行礼的时候为什么忽然反悔婚约？"

红晕溜上了张武卿的脸。他兀自沉倒了头，伸手搔摸他的秃顶，答不出话。

他的妻子从旁接嘴道："先生，这都是他的不是。他不听我和甥儿杏荪的话，几乎把我的女儿逼死！现在伊幸而活转来，要不然我少不得要和他拼命！"

武卿期期地说："先生，你们也应当原谅我。你想我女儿的婚约本是五年前伊自己允许的。婚姻岂可儿戏？何况又出于自主？现在婚期已到，伊忽而中变，我怎么能依从？我在社会上总算有些面子，像子楚这般女婿也不算辱没。现在伊大概沾染了什么谬说，忽又自由悔约。这种事叫亲友们知道，岂不使我丢脸？"

霍桑微微地点点头，似乎表示同意的样子。他又乘机问下去："令爱所以悔约，有什么情由？"

张武卿忽指着他的妻子，恶狠狠地说："这要问伊！伊是赞成美侠的见解的。我却完全不知道有什么理由！"

老妇向她的丈夫睁了一眼，答道："伊也并不说什么理由，只说嫁了子楚，前途没有幸福，故而不愿意。我是懂得女子们的苦楚的。女子嫁着了不满意的丈夫，仿佛把一朵鲜花插入污泥潭里，虽不就死，活着也难熬。所以我委实是赞成伊的！"

霍桑把手指在自己膝盖上弹弄着，似赞成非赞成地答道："唔，这话也有意思。但赞成你女儿的意思的人，不是还有你的甥儿吗？"

老妇点头道："是。他是美侠的表兄俞杏荪。他也是主张和子楚悔婚的。"

"令甥有什么职业？"

"他是光沪大学毕业的，现在是大华书局的编辑。"

"他大概还没有结婚吧？"

"是。他的年纪还轻，今年只二十五岁。"

"住在哪里？"

"民权路转角上的洋房里。"

"他可是常到这里来的？"

"是，他先前本常常来的。昨天可没有来吃喜酒。我听说他有什么事出门去了。"伊的眼睛里漏出些疑焰，"先生，你为什么要查问杏荪这样仔细？"

霍桑摇摇头："没有什么，我随便问问。张太太，此外可还有什么人在这里出进？"

"唔，吴校长有时候也来我们家里玩。"

"吴校长是务强中学的校长？"

"是。"

"年纪也还很轻吧？"

"不，快五十岁了。"

霍桑微微点了一点头，又斜着眼光向我瞧一瞧。他仍继续问："子楚回国以后，可曾到这里来过？"

"他初回来时，差不多一天要走几趟，后来忽然绝迹不来。因此，据我料想，他们俩的意见上一定有了什么冲突。"

书室外面传进来一阵皮鞋咯咯的声音。接着有一个时装美貌的少女推门进来。伊一见书室中有客，连忙在门口站住。伊的圆脸微微涨红，活泼的眸子在眨动。

伊向张武卿的妻子说："伯母，美姊真已醒转来了吗？我一听得这个消息，快乐得什么似的。现在伊可是在楼上？我要去瞧瞧伊。"

老妇忙立起身来，摇着手道："玉小姐，你不要上去。刚才医生说过，伊的神经已受伤，能多睡最好。请你过一天和伊谈吧。"

那女子似乎很失望，悻悻地说："那么，我明天来吧。伊醒时，请伯母替我致意一声。"

伊说完了话，把眼光向我和霍桑二人瞟了一眼，便退出门去。武卿的妻子送伊出去。我认识这个闯进来的女子就是昨天礼堂中的女陪新，不过伊的衣服已经换过了。伊穿一件淡蓝毛葛的夹旗袍，长到足跗，已不像昨天那么鲜艳。

霍桑问道："张先生，请问这一位是谁？"

张武卿答道："伊叫徐玉英，是美侠的旧同学，就住在三角场丰裕里。她们俩最知己，故而伊常在这里出进。昨夜里伊回去的时候，也知道美侠没有希望。今天伊谅必听得了美侠苏醒的消息，才赶得来。"

"那么昨天你们从礼堂中回来以后的情形怎么样？"

"礼堂中出了这个岔子，我心中说不出的恼怒羞恨。我和内子将美侠扶上了汽车，直接回家。美侠经我一顿斥责，就伏在床上哭。不知怎的，到了晚饭过后，徐妈忽下楼来说美侠已昏迷不省人事。我们就忙着请医生，据说美侠已服了安神药水，气息只剩一丝，大致已没有苏醒的希望。内人在惊惶之余，接连换了几个医生，虽强制给伊吃了些药，却大半说没法挽救。我自然也不免有些后悔。过了十二点钟，美侠的气息忽又渐渐恢复。这实在是上帝的慈悲，不忍把我这个独生的女儿收去，使我下半世悲痛不安！"他的结句是一声长叹。

霍桑点点头："张先生，现在你可以安心些了，只需令爱能够恢复康健，别的事终可以商量。等令爱醒觉的时候，我想见伊一见。不知道你可允许？"他随即立起来。

张武卿道："那可以。不过医生说过，在一两天内，伊还不能跟任何人交谈。"

进行计划

我们从张武卿家里出来之后，霍桑说要向别一方面进行，约我到傍晚时去听消息。我不知道一天他要忙些什么，但他既然不需要我同行，我也不便强自加入。到了下午五点钟时，我又到他的寓所去。霍桑正把一张纸条交给施桂。他见我进去，便向我笑一笑：

"包朗，我的一千元一字的答案已经成功了！……喂，施桂，慢走。你把底稿给包先生瞧瞧。"

施桂把手中的纸展开来给我瞧。那纸上只有一个很大的"否"字，我点点头。施桂仍拿着那张纸走出去，我也坐下来。

我惊异道："霍桑，这是你送到《国民日报》去登的答复广告？"

霍桑点点头。

我又问："张美侠的中毒果真不是自尽吗？"

他的答复是再来一个点头。

"你已经确实查明白？"

点头的动作三度表演。

"那么有人谋害伊？"

"是。"他开始答话。

"害伊的是谁？"我继续追问。

"我知道是一个女子，还没有确知是谁。"

"喔，你怎样查明的？"

"那是很侥幸的。我起先料想张美侠未必有自杀的决心，势不会早先就预备好安神药水。因此，若能查明这安神药水的来由，便是一个线索。这种药水若是烈性的，必须医生开方，药房中才肯出售。但普通的安神药水，却可随意购买，不过购买时比较寻常药品更容易引起药房中人的注意。我凭着这个推理，就往从圣彼得教堂到共和路所经过的几家药房中去探问。我查到了第三家福华药房，果真查着了。在昨天下午四点半光景，他们曾出售一瓶安神药水。计算时间，恰巧在他们从礼堂中退出来以后。那不是符合了吗？"

"你可知道什么样人买去的？"

"我说过了，是一个少女。"

我微微一怔，有一句话冲到嘴唇边给阻止了。

霍桑继续道："一个很漂亮的少女。伙友还记得那女子穿着一身绯色的衣裳。"

我不禁脱口道："这女子莫非就是徐玉英？"

霍桑忽而仰起头来，惊异道："喔，你也有这个念头？"

我道："是，昨天伊还做张美侠的陪新，穿的就是一身绯色的衣服啊！"

霍桑点点头，自言自语地道："是。是！……我想不至有什么错误。"

我问道："霍桑，你想那个用安神药水谋害张美侠的就是徐玉英吗？"

霍桑抱着膝盖，低垂了头不答。

我又道："不过她们俩是最好的朋友，论情理似乎不至如此。"

霍桑缓缓抬起头来，答道："你想在金钱和恋爱的权威之下，朋友的交情能有多少价值？"他叹了口气，又把头低了下去，摇动他的右膝。

我道："那么你已确定谋害的人就是徐玉英？"

霍桑答道:"我想再过两三个小时,你这问题就可以有确切的答复。"他顿一顿,又说:"我对于那不知姓名的委托人的义务已经尽了。现在我打算自动地去侦查一下。包朗,你可否能助我一臂?"

"当然!你要我做什么?"

"我因另有调查,要委屈你做一个'仆欧'。你可愿意?"

"我们为侦探案起见,什么都可以。你总不会忘记我曾经扮过一次荡妇!"

"这样再好没有!你现在姑且休息一下,等到上灯时分,再执行你的职务。"

"好。但这究竟是什么玩意儿?你说得明白些。"

霍桑解释道:"我怀疑两个人———一个男子和一个女子。方才我已经写了两封信,约这两个人在倚虹楼西餐馆相会。你到那里去扮一个侍者,乘机偷听他们俩的谈话,以便探悉这内幕中的秘蕴。假使我料想得不错,这件事的真相立即可以明白。"

我疑惑道:"你疑惑哪两个人?"

"男的是贵友伍子楚,女的就是徐玉英。"

"你想这两个人有关系?"

"伍子楚对于悔婚的事既有听其自然的倾向,那徐玉英又有谋害的嫌疑,故而我相信他们俩有相互的关系。"

"你说你写信使他们俩约会,你怎样措辞的?"

霍桑从书桌抽屉中取出一张纸来,授给我道:"这就是信稿。"

我见信纸上只有寥寥两句:"今有要事面谈,请于即晚八时,到倚虹楼十九号一会。知白。"

霍桑又说:"这两封信我早已发出了。他们俩接了这信,男的必以为女的所约，女的也必有同样的见解。所以我料他们俩一定会入我的彀的。"

"虽然，他们俩假使没有关系，你的计划未必会成就吧？"

"也不妨。这一男一女既然各有亏心的事，突然接到了这信，也必要来瞧一个究竟。我知道他们俩是互相认识的，见面以后，彼此总会交谈，多少总可以给我们一些线索。"

我想了一想，应道："好，我们不妨试一试。但我怎样装扮呢？"

霍桑道："这一节我可以和餐馆中人接洽妥当。你的职务只在招待他们进去。譬如那男的先到，若见十九号中没人，也许要退出去。你便可招呼他说：'你可是伍先生？刚才有一位小姐已把这房间定下了。请你略等一等。'假使女的先到，你也可用同样的说话招待伊，只需换一个称呼。等到他们会面以后，你应得趁间刺探。但你得小心，切不可引起他们的疑心。"

我踌躇道："伍子楚是很熟识我的。假使我被他瞧破了——"

霍桑接口道："不会。我可以给你装扮得使他们辨认不出。不过你得特别留意你的声音。"

如此相逢

倚虹楼餐馆主人姓卜，是个广东人，我们素来熟识。霍桑和他接洽了几句，他当然一口应承。霍桑就着手给我装扮。不到十分钟工夫，我在着衣镜中照一照，已成了一个浓眉阔口额多皱纹脸色黝黑的人物，再加上一件白布制服，在电灯光中，若不细瞧，当真辨别不出我的真相。

霍桑又低声叮咛我道："这件事托在你身上了。我此刻还须往张家去见见美侠，不能再留在这里。小心些。"

我点点头，霍桑就回身出去。有几个别的侍者早已受了霍桑的交代，已知我们有什么用意，有一个人引我到十九号室前。室门外面挂一块牌子，单单写着一个"定"字。这也是霍桑授意的，免得写了姓氏，反落痕迹。我一个人进了十九号室，觉得十八号中已经有几个女客，那右隔壁二十号中却还空着。

我捉住了短短的时间，把这件疑案做一番小小的推敲。霍桑所疑伍子楚和徐玉英发生关系，事实上原是可能的。据张美侠的母亲说，子楚回国以后，和美侠还往来很密，后来忽突然绝迹。可见子楚先前原没有悔婚的意思，这意念是在他回国以后才发生的。但动机是什么呢？不是他另外爱上了别的女子，因而便厌弃张美侠吗？我们又知道徐玉英常在美侠家中出进。子楚和玉英相识以后，也许进一步达到了恋爱的境界；后来更进一步，便设法使美侠悔婚。这猜想是近情的。就美侠方面推想，也许伊窥破了他们的秘密，便自动地毁约。但是伊因着伊的父亲的禁阻，没有实行，只得到了礼堂中的经坛面前，伊父亲既已放了手，伊得到最后五分钟的自由，才毅然地宣言不愿。事后徐玉英还恐不妥当，才再接再厉地下那毒手。这又是另一种近情的设想。不过还有那匿名委托霍桑的人，在我这设想中还没有位置。这个人是谁？他既然这样子关切美侠，自然也有关系。那么美侠莫非也另有所爱的男子吗？或者果真如霍桑所说，这男子未必是美侠的恋人，却是伊的保护人？

推敲刚才有了一个小小的结论，我忽听得有一男一女的谈笑声音，缓缓地走近。我立即收敛了神思，准备应付这新颖的局势，但我的心头在突突地乱跳。他们俩竟一同来了？我怎样招呼他们？我既然充当了侍者职役，势不能始终留在里面，便硬了头皮走出来。那一男一女不见了，原来已走进二十号里去。

我舒了一口气，心上似乎放下了一块石头。其实我原是盼望他们俩来的，同时又怕见他们，心理上委实有些矛盾。

八点一刻了。十九号房间还是空着。他们接了这莫名其妙的信，果真会到这里来吗？万一不来，或是两个中来一个，这一出把戏不是又空串吗？

咯咯的女子高跟皮鞋的声音激动我的听觉。那声音很急促地从外边入口处过来。可是伊当真来了？我正待走出室去，忽见那两扇半截的门突地推开，走进一个少女，正是徐玉英。伊身上换了一件杏黄色的旗袍，露出黑色的两袖，打扮得比早晨时更加漂亮。伊的装束是我后来瞧清楚的，当时我一阵子慌乱，但觉有一股浓烈的香气刺激我的嗅觉。我的心在跳荡，我的眼睛也乱了。

我勉强招呼道："可是徐小姐？请坐。刚才有一位先生把这房间定下了。"

我旋转身子，假作移开一把椅子的样子，徐玉英并不就座。伊的高跟鞋在旋动，仿佛要回出去。我低了头暗暗地着急。当然，"低了头"并不是"仆欧"应有的姿态。

伊问道："这房间谁定下的？"

我怎样回答？除了用游词搪塞，还有什么办法？

"嗯，他说他立刻就来。徐小姐，请略等一等。要不要开一瓶汽水？……嗯，冰的？"

伊不睬我，又问："我问你定座的是谁？"

僵！我能告诉伊吗？还是暂守秘密？我真窘极了！

"喂，你是个聋子？谁定这房间？"

"嗯……嗯……他说……他姓……嗯，我真糊涂！我……我竟忘了！徐小姐，你坐一坐。他马上就会来！"

聪敏的读者，在这样的局势下，你还有更巧妙的敷衍方法吗？我承认我拼出了这几句话，已是尽了"九牛二虎之力"。可是效果呢？等于零！徐玉英不但不肯坐，反而把手一推，将弹簧门推开了，返身走出去！怎么办？我能不能拉住伊？当然不！可是我也本能地追了出来。

"徐小姐！……徐小姐！……"

徐玉英站住了，旋转头来："怎么？"

"嗯……嗯……"

救星来了！一阵皮鞋声音在入口处响过来。我又听得出那是男子的皮鞋声音。我连忙抬头一瞧，唉，巧极！正是伍子楚！

我又变了声音招呼道："徐小姐，伍先生来哩！请进去！"

我忙推开了半截门，低了头，弯了腰，站在一旁。徐玉英好像受了我的催眠，果真重新走进十九号。我仍站在门旁，姿势没有变，声音又减低些："伍先生，徐小姐等了好一会儿哩。"

伍子楚走到十九号门口，突然停了脚步。我虽不敢平视，但明知他的目光正凝视在我的脸上。我的心房跳得厉害，怕他瞧破我的真相。直到他开了口，我才知道他所怀疑的并不在我。

他低声问道："徐小姐？"

"是，徐小姐。"

我仍不敢抬头瞧他，我的一只手仍推在弹簧门上。伍子楚略一踌躇，果真跨了进去。

好险啊！我的近乎"拉马"的使命第一步总算完成了！可是不！当我凭着侍者的资格，堂皇地跟到里面，一看见他们俩相见时的那副神气，又觉得霍桑的预料完全失败了！

他们俩都呆立着，彼此的目光在怔怔地交射着，脸上都显出一种诧异的神色。我虽没有好多经验，但我敢说这一对若是恋人，相见时绝不会有这种情形。因为他们的脸色都沉着，丝毫没有笑意，眼光中又各涌现一种怀疑的暗示，仿佛在互相发问，"你约我来的？""为什么事？"，但他们似乎因着当了我的面，又不便发这种问句。相持的局面延长到三五秒钟。还是子楚比较老练些，移开了一把椅子，让徐玉英坐下。他自己也坐下来。我顺势将菜单送上去。

徐玉英摇摇头："我吃不下。"

这句话伍子楚似乎也赞成。

他向我道："先开两瓶柠檬水来。"

我答应了一声，只得退出来，很想听听他们俩究竟怎么开口，但是事实上不可能。我不敢不去取水，防露出破绽。我走到室外，三脚两步地找到了一个侍者，向他要了两瓶柠檬水和一个开瓶盖的起子，又急步回进十九号室。他们俩的谈话已经开始。我一边开瓶，一边听徐玉英说："这件事委实是你的不是。你既然已经另外有合意的人，何不早早了结，却累得美姊这个样子？你实在太对不起伊！"

我已开了一瓶，倒满了一杯送到玉英面前，又把另一只空杯移到子楚面前，预备给他另开一瓶。我还没有开瓶，忽见子楚把空杯拿起来，凑到嘴唇边。他将空杯接触了嘴唇，才觉得杯中还是空的，重新把杯子放下来。我险些笑出来！可是要是我真的笑了，会造成什么样的后果？唉，好险啊！

子楚期期地答道："徐小姐，你的话我不明白。"

徐玉英冷笑道："不明白？你还是假痴假呆？你究竟爱上了哪一个？"

伍子楚的脸色忽而涨得通红，目光低下去。我慢慢地将柠檬水斟满他的杯子。

他反问道："徐小姐，谁说我另有所爱？"

徐玉英犀利的目光凝视着对方的脸，说："你还要隐瞒？我直到昨天夜里，才知道美姊在礼堂中闹出这个乱子，就因为你的态度不忠实。"

伍子楚仍低了头，辩道："胡说！……这真是胡说！"

我已把他的杯子注满了，不能再留在室中。但我退到门外，仍能够听得里面的谈话。

徐玉英说："你不用赖。我有凭据。"

伍子楚道："喔？什么凭据？"

"有一个女子写一封信给美姊，说你已和伊有了关系，并且非常密切，故而写信警告美姊，万万不能嫁你。"

"当真？"

"自然。"

"这封信你看见过？"

"我还知道这女子叫周慧雯。"

"唉！"他顿一顿，"这一封信你怎样看见的？"

"我起先本不知道，美姊原是把那封信秘密着的。昨夜伊昏过去以后，我解开了伊的内衣，方才发现。"

谈话声停一停，接替的是椅子的推动声，和伍子楚立起来的走动声。他要出来了吗？我只得暂时走开了。但我退了一步，回头瞧瞧，他并不出来，只在室中走动，也没有说话。

这问题似乎弄大了。伍子楚分明已承认了徐玉英的话，他果真已另外爱上一个叫周慧雯的女子。那么，这不是三角问题，却是四角问题了。但这个徐玉英既不是伍子楚的恋人，又为什么要谋害张美侠？莫非伊的目的不在恋爱，另外和美侠有某种怨仇，故而从中报复？

室中静默了一会儿，伍子楚又继续说话。我重新走近短门。

"你既然一口说是我的不是，我也不必分辩。但你是美侠的知己，可也知道伊有没有别的爱人？"

徐玉英顿了一顿，似乎在寻思，室中又暂时静默。

伊答道："现在我已经知道了，确实没有。"

伍子楚又默然不答。这小室中的空气再度静寂。可惜我不能瞧见这时候他的脸上有什么表示。

徐玉英又说："你是一个受过高等教育有地位有人格的男子，自己有了不是，难道还要反而诬陷别人？"

伍子楚忽气愤愤地说："你说我诬伊？喏，你自己瞧吧！"

停一停。好像有什么纸件丢在桌子上。我又听得椅子移动的声音，分明他重新坐下了。

会是什么重要的文件吗？为完成我的使命，我不能不瞧它一瞧。但我怎样进去？他们没有按铃，我若使直闯进去，势必要引起他们的疑心，反而会坏事。恰巧一个侍者，手中端着一盆纸烟，正要走进二十号去。我抢前一步，附耳向他道："对不起，借一借。"于是我不等他的许可，忙把他手中的纸烟盆夺下了，回身送进十九号室去。

我端着烟盆，一直送到徐玉英的面前。伊手中执着一张信笺，正在那里研索。但笺上面写着几行铅笔字，我的眼光电光般地射在纸上。玉英似出不意，略略仰起些，向我白了一眼，随手把我的烟盆推开，表示不要。我还故意迟迟不动，但因此动了伍子楚的疑心。他似乎已看见我在偷瞧那信，便伸手将那信笺从玉英手中取过去，略一折叠，就纳在袋中。我装作没事的样子，仍旧将烟盆移送到子楚的面前。

子楚挥一挥手："不要！"

我道："再来两瓶汽水？"

子楚愠怒地说："要什么，我会叫你。出去！"

我应了一声退出来。做"仆欧"，吃钉子原是家常便饭，我自然不在乎。

那信中写的什么？我可曾瞧见吗？唉！我不是自己夸口，我的眼睛也不能不算敏捷！在这数秒钟间，我已把信中的大意完全瞧明。那是一封匿名信，有一个男子声明已和张美侠有了关系，故而警告子楚，不要再履行婚约。事情真无独有偶。子楚既然另有所爱，不料美侠竟也有同样的情形，假使再把徐玉英加入，这竟是一件五角式的把戏！恋爱把戏三角的已是复杂了，现在竟是五角，怎么还弄得清楚？

我把烟盆重新还了那个侍者，又偷听这室中人的谈话。

徐玉英问道："你知道这个人是谁？"

伍子楚道："不知道。"

"那么，你可要查究他？"

"那也不必。我就成全了他们好了！"

"唔，你既然另有所爱，自然就落得慷慨了！"玉英似乎发出一声冷笑。接着伊又说："我倒知道这个人。"

"喔？谁？"

"这一定是杏荪写的。他的笔迹，无论怎样改变，终逃不出我的眼睛。唔，是他！……一定是他！"

故事有新开展，以后当然还有妙文。忽而砰的一声，那弹簧门突地撞在我的额角上。我连忙退避，但额骨上已感觉痛楚。玉英怒气冲冲地走出来，一直向出口处下楼去。

我惊愕地站在过路上，一时竟不知所措，伍子楚也急急跟了出来。他见我呆呆地站着，忽摸出两个银币，向我手中一塞，便也跟踪下楼。这样的结局完全出我的意料，我的任务就被迫地告一个段落。

局部结束

半小时后，我又在霍桑寓里和他谈话。他听了我的经历的报告，很称赞我处置得当；对于我设法偷瞧伍子楚的那封匿名信，更佩服我的急智和应付的敏捷。他吸了一会儿烟，似把这一件纠纷的事情仔细推索了一会儿，便向我解释：

"这一出戏竟有五个重要的角色，确实是非常幻复的。但我们并不失望。就眼前的事实推想，有一部分已很明了。我知道徐玉英把安神药水谋害张美侠，完全是一种酸素作用。"

"是，我也这样想。但这里面的曲折情由，你可已明白？"

霍桑点头道："我大概已明白了。我根据所知的事实推想，可以有如下的假定，这徐玉英和俞杏荪一定是有关系的，至少可说玉英是爱他的。但瞧杏荪写警告信给伍子楚，要破坏他和美侠的婚姻，可见杏荪的心却在张美侠身上。因此，玉英对于美侠谅必早有妒意。不过玉英知道美侠既将和子楚成婚，势不能同时再恋杏荪，故而伊虽有妒意，自然也不必发露出来。后来美侠在礼堂中宣言不愿，这一着使玉英大吃一惊。伊以为美侠悔婚，就要另行嫁给俞杏荪，夺取伊的所欢，因而伊就忍心下这毒手。后来伊在美侠的里衣袋中得到了那封周慧雯的信，才知美侠所以不愿，是因着伍子楚另有所爱，并不是要占夺伊心目中的恋人杏荪。不过美侠起先既绝不说明原委，玉英处在鼓中，才造成这个误会。我们瞧今天早晨，伊一听得美侠复苏的消息，便急急地赶到张家，刚才你又听得伊竭力替美侠辩护，可见伊的良心上正自后悔不迭哩。"

我恍然道："不错，这里面的原委，你分析得很明白。不过玉英此刻虽然后悔，但伊既然有过这种阴谋，我们似乎不便就放过伊。你说是不是？"

霍桑道："是。我们若要找伊，伊既没有防备，原非难事。但我以为我们还须先向别一方面进行。"

我想起了他先前的任务，问道："是的。你刚才不是说往别方面进行的吗？有什么结果？"

"我曾到务强中学去看过吴校长。"

"喔，怎么样？这个人也有关系？"

"不。他的年龄已在四十八九，头发秃落了大半，谈吐也朴实。我相信他本人不配扮演这活剧的主角。"

"那么你得到些什么？"

"我查明了美侠的行径，个性很强，品行也端正。"

"以外呢？"

"我又到共和路张家里去看美侠。"

"见面吗？"

"没有。伊还没复原，医生仍禁止伊和人接谈。所以我们不能不再找另一条路。"

"哪一条路？"

"我早听得那俞杏荪是美侠的表兄，常在张家出进。当美侠向伊父母声言悔婚的时候，杏荪也怂恿赞成。这人也是个知识青年，还没有结婚。我料想他对于悔婚的真情，多少总也知情。所以我先前本已着手打听他的踪迹。现在看起来，我们为证明起见，更有见见他的必要。"

"你打算证明什么？"

"那徐玉英是一心爱俞杏荪的，俞杏荪却像属意张美侠。但杏荪与美侠之间究竟是相合的，还是单恋的，那不能不找杏荪去证实了。"

"不错。杏荪在这件事上还不曾露过面。你可知道他的踪迹？"

"刚才我从张美侠家失望出来，就往民权路俞杏荪家里去过。杏荪的母亲告诉我，他在昨天清早往苏州去了，临去时留下一个地点，若有信件可寄东吴旅馆。我即刻已打过一个电报给吴县警厅里的一个朋友，叫他查一查俞杏荪是否还在东吴旅馆。如果真在那里，我们明天到苏州去，一见他后，真相不难立即明白。这件事也就可以结束了。"

我又提出一个问题："慢，还有伍子楚和周慧雯的问题，我们可也能查明白吗？"

霍桑立起身来，伸一伸腰，轻蔑道："这种事也值得费我们的精力吗？现在那一般自称知识阶级的新人物，借着恋爱自由的幌子，侮弄女性，朝三暮四，本是不足为奇的。对不起，恕我说一句荒唐话，贵友也许就是这样的一个人物。"

我默默不答。情势的确有些像，我不能为着私谊给朋友辩护。

略停一停，我又问道："那么还有那位不知姓名的委托人呢？这个人究竟是谁？"

霍桑疑迟道："我不知道。这个人也许是美侠的——我们若能解决了俞杏荪的疑问，这一点说不定也可以连带证明。"他顿一顿，又说："包朗，你去通知一声尊夫人，今晚上就住在我这里吧。吃过夜饭，我们往华光大戏院去舒散一下。别的事等明天早上再进行。"

殉情者

那一夜我住在霍桑的寓里。第二天二十八日早晨九点钟时，苏州的回电才到。这回电是出乎我们的意料的，并且把我们的希望完全打消。

电报上说，俞杏苏果然在东吴旅馆，但在二十七日早晨，忽而死在他的房中。尸旁有一把凶刀，刀伤在咽喉。自杀被杀，警探们正在侦查之中。

我向霍桑道："这个变端太出意料，我们更难着手哩。这个人一死，不是已断了我们的线索了吗？"

霍桑也惊异地说："是，真想不到！现在情势已变。我们去见见徐玉英再说。"

我们到三角场丰裕里徐家的时候，扑了一个空，据说玉英昨夜十点钟时出外，至今没有回来。

变化连续地发生，而且都出人意料。霍桑的脸容也变异了。他紧蹙着双眉，咬着嘴唇，似乎因着接连地失望，一时也不知道从何处着手。

我建议道："昨夜里他们在倚虹楼时，徐玉英先走，伍子楚便跟踪而下。我们不如去见见子楚，或者可以有些消息。"

霍桑赞同了。我就领着他到柳荫路伍子楚家里去。可是失望还是接踵而至。子楚在上一天下午七点半钟出外，也不知去向。

奇怪的事实使我感到头昏。子楚分明到了倚虹楼以后，没有回家。他往哪里去了？现在徐玉英也正失踪，他们俩可会在一块儿？但上夜里他们临走时给我的印象，同行似乎是不可能的。我再三推想，竟想不出切当的解释。

霍桑说："包朗。我们探案以来，这一件事可算得曲折最多。我们想得了几条线索，却一条条都阻断不通。现在我们除非另起炉灶，到苏州去侦查俞杏荪的死因，或者这案子的真相可以连带发展。"

我同意说："好。我们马上就走，行吗？"

霍桑又迟疑地说："不。我想我们眼前还不能走。张美侠大概可以恢复了，随时有可以接谈的可能。我打算先见见伊，然后再从苏州方面去进行。"

一般人常诟病侦探小说中的事实太偏于想象。其实一个富于人生经验的人总会承认，人世间尽多出于人们的想象以外的事实。譬如有一件事，变化像波浪般地层层叠叠，追求愈切，去鹄愈远，但在不意之中忽又会一拍到题。这案子就是一个显著的例证。

我们从伍子楚家回到寓中，还没有半个钟头，忽然有一个西装客人登门。这人就是我的幼年同学伍子楚。他会突然间造访，也是我们所料想不到的。

伍子楚走进了霍桑的办公室，看见我同在，似有些不好意思。他的脸色焦黄，眉峰深锁，目眶上现着黑圈，红丝网络了他的眼白。可见他心中正有难言之隐，并且又有失眠的样子。经过简单的招呼，霍桑请他坐下了，吩咐施桂送上一杯热茶，借此提提他的精神。他接了茶杯，一口气喝完了，略停一停，才开口说话。

他道："霍先生，我先应谢谢你。你的答复我已经瞧见了。"

这不是又一个"意外"吗？他的话不但使我诧异，霍桑也微微一怔。他的嘴里虽不答话，他的眼光却明明表示他也想不到那匿名的委托人就是他。

伍子楚继续说："霍先生，你说美侠的中毒是被害的？现在我听说伊已经脱离了险境，那是很可庆的。但这个害伊的人是谁，请你也告诉我。"

霍桑不即回答，他的坚定的目光凝注在子楚的脸上，似在竭力探索他的心事。

他缓缓答道："这个问题很容易回答。不过我料你还有别的事见教。不如先请你说说明白。"

子楚忽叹出一口气，垂着目光，摇了摇头，表示出一种内心悲痛的神色。他低下了头，紧握着两手，略顿一顿，才发出悲惨的声音：

"霍先生，包朗兄，你们大约还不知道这里面的曲折。你们也许要误会我是一个喜新厌旧的无赖吧！"

声音有些凄婉刺耳。霍桑不回答，但睁着眼睛注视他。

我不禁接口道："子楚兄，我说句老实话。我们确有这种误会。"

子楚张大了眼睛，抬头问道："喔，当真？"他点点头，又叹一口气："那么我必须先解除你们的误会。你们可是已知道我和另外一个叫周慧雯的女子有了关系吗？这委实是莫须有的！我受过高等教育，自信有人格，对于那些滥情滥爱的人原是痛恨恶嫉的。"

霍桑向我瞧瞧，我也和他交换了一度目光。起先我们以为他是个滥情的妄人，此刻听了他这恳挚的语声，这观念渐渐有些动摇。我们错疑他了吗？

霍桑说道："伍先生，你能纠正我们的误断，我很乐意领受。现在请你说得明白些。"

伍子楚答道："你们总也知道我和美侠的婚约本是自由结合的。我在美国的时候，每一次邮船彼此总有两三封信。故而在已往的五年中，我们的形体虽然隔离，精神仍息息相通。回国以后，我们就定了婚期。不幸我太敏感，疑心太重，有时看见伊的表兄俞杏荪常在伊家中出进，又见美侠和他似乎很投契，我不无芥蒂。不料在婚期的两星期前，我接到了这一封匿名信。"他从袋中摸出一张信笺，弯着身子，授给霍桑。那就是上夜里我在倚虹楼中瞧见的一张。他继续道："我得了这信，一时疑妒交并，竟信以为真，经过了一番内心的交战，便决定牺牲我自己，成全他们。但我怎样提出离婚呢？在现今社会上，男女的贞操观念还是沿着传统的眼光，彼此是不平等的。男子丧失了贞操不算一回事，女子丧失了，却仍会有严重的后果。我若据实宣布，良心上实在有些不忍。就是我假借题目，从我方面提出，总也不利于美侠。因此，我又打算做进一步的牺牲。我自己写了一封假托周慧雯的警告信，寄给美侠，以便伊借此为凭，可以从伊方面提出离婚的动议。这样，在我方面，名誉上或者略略有些亏损，在美侠方面，不但所愿可以圆满，名誉上也不至于有什么玷污。"

子楚的叙述略略停顿。霍桑又和我交换眼光。他蹙紧了眉毛，闭拢了嘴，似在后悔他先前对于子楚的考语的错误。我也有同样的感想。因为要是子楚的话不假，在现代的潮流中，他这种舍己为人的牺牲精神，实足以使人肃然起敬。他的声音状态都显示他的话是由衷的。那么我们俩先前的武断委实是无可宽宥了！

子楚继续说道:"后来美侠方面并无离婚的要求,我不禁有些诧异。到了结婚那天,伊方面既无表示,我也只得牺牲到底,勉强成事。直到行礼的时候,美侠才宣言不愿。这一着原是我早已盼望的。所以包朗兄向我诘问的时候,我既抱定牺牲到底的态度,不愿意宣布真相,只索冷待他不理。包朗兄,现在你总可以原谅我了吧? ……不料到了那天晚上,美侠的父亲武卿忽然送一封信来,报告我美侠已服毒自尽,又说了许多道歉的话,却绝不提我另有所爱的事。这一着才使我醒悟过来。"

故事再度停搁。我感到羞窘不安。霍桑也沉下了头。室中酝酿出一片难堪的静默。一声长叹以后,我朋友凄苦的声浪又在我的对面震荡:

"我寻思我既成全了美侠的意愿,伊又为什么反而自杀?并且我授给伊的凭据,伊为什么并不发表?这都是出乎情理的。莫非伊为着保全我的名誉,才秘不发表?这样看,我未免错疑伊了!但是大错已经铸成了,我又怎样挽回?我在无可奈何之中,就决定请霍先生先给我侦查一下,伊究竟是自杀还是被杀;然后调查这里面有没有别情,再定应付方法。我既处于两难的地位,又不便露面,于是就趁了深夜,用了匿名的方法来请教你。

"昨天下午,我得到一封不具姓名的约会信。这信来得很突兀,我要查明真相,就如约而去。不料那约会的是美侠的朋友徐玉英。我们谈话的结果,我才知道美侠果真把我的那封假信密密地藏在身上,始终不曾宣布。我又知道我所接得的那封匿名信确实就是美侠的表兄杏荪写的。玉英与杏荪显然有关系。伊一看那信,妒焰大炽,好像伊就要去找他理论的样子。我觉得也要见见杏荪,问他一个端详,故而就跟在伊的后面。

"我跟伊一直到杏荪家里。杏荪不在家，伊很懊丧。我知道伊势必将继续寻觅，因又跟着伊回伊自己家里去。伊在家里略等一等。果真就又出来直往车站。我索性跟着伊同行。伊买票到苏州，我也照样买了票上车。

"我们到苏州时已在半夜过后，我一直跟着伊到东吴旅馆。旅馆门前有一个警察守着，虽在深夜，还有好多人在那里切切谈论。徐玉英比我先走进旅馆里去。我略停一停，正要跟踪进去，忽见伊匆匆从里面退出，脸色灰白了，身子在发抖，仿佛已得到了什么不幸的消息。伊和我掠身而过，竟似没有瞧见。那时我在旅馆门口略一停留，看见旅客姓名表上果真有俞杏荪的名字。我的目的要见杏荪，玉英往哪里去，我不必再跟。我就进去定了一个房间。我在进旅馆的五分钟内，就知道了徐玉英匆匆退出的原因。

"原来俞杏荪在昨天二十七日清早发出了几封信后，便留在房中不出。直到傍晚时茶房推门进去，才发现他已死。自杀被杀，还不知道。这消息不但吓走了玉英，连我也意外地吃惊。这半夜我再不能睡着，到了今天早晨，我就乘第一班车回到上海。回家以后，百感交集，不知道怎样才好。我又从报纸上得到了你的答复，知道美侠的中毒是出于被害。我正要来找你，忽接得俞杏荪从苏州寄来的一封挂号信。这信是他临死前发的，可算是他的一篇供状。现在请你们读一遍。这案中的几个疑点就可以明白了。"

伍子楚说到这里，从衣袋中郑重地摸出一封信来，交给霍桑。我站起来走到霍桑身旁。信是草书写的，字迹很流利。

那信道：

子楚先生：

　　我实在很愧对你！你接到此信的时候，谅必你们美满的婚姻已经成就，我却已离开了这个荒芜凄凉的世界了。你先前不是接到过一封匿名信吗？这信是我写的。我爱美侠，原属实的。我觉得伊的品性容貌，端静婉娈，一言一动都足以吸引我的灵魂。不过这是我单方面的，美侠却并无意思。我们虽是表亲，从小在一起，可是美侠对于我的爱始终不接受。当初我因爱生妒，存着私心，打算破坏你们的婚姻，以便终有一天可以成就我的愿望。可是这计划到底失败，你们终于圆满了！现在我失恋了，因着怕见你们的圆满，逃到了这里。但我的心仿佛已是空空洞洞，世界上的一切，丝毫不足留恋。我知道我无论逃到哪里，终逃不出我心上的创痛！

　　我知道另有一个女子确很爱我。可是爱这东西再神秘没有，竟不能随便移用。现在我已决定了此一生，以便根本消灭我心中的隐痛。但我恐你因着我前次的一封信，在你们美满的爱情上留一点缺憾，故而我再给你这一封信，给你解除误会，希望你一心一意地爱伊。那我死后也可以瞑目了。

　　朋友，再会吧！我祝你们伉俪间幸福无量，并且请你寄语新夫人，宽恕我的狂妄，但我这一颗心，却完全是纯洁无瑕的。

　　　　　　　　　　　　　　　　　　杏荪绝笔　二十七日

　　我们看完了这一封信后，大家都静默起来。窗外边迎风的秋叶萧萧瑟瑟地响，和着室中伍子楚的叹息声音，组成一种凄婉的哀曲。

霍桑立起来，在窗口静立一会儿，才回过头来，把我们侦查所得的情形向子楚说了一遍。

他说："爱河的风波是可怕的！世界上最没法解决和最易使人感受痛苦的事，就是这一个'爱'字。现在你们四个人的曲折离奇的问题都已有了归结，不过这里面含着不少酸辛的因素。"他叹一口气，又说："伍先生，今天你的未婚妻大概可以和人接谈了。你快去把这回事向伊说明。你郑郑重重地认一回罪呢！"

伍子楚去后，我的情绪很紊乱，心头感觉到另一种滋味，说不出是悲，是喜，是酸，是辛。霍桑烧着一支纸烟，在窗口静立了一会儿，才向我表示。

他说："这件事如此解决真是很侥幸的。我的脑力显然衰退了，竟看不透这一出四角式的活剧。但这剧中的四个主角，在'爱'的立场上都是十二分真挚，都可以算是爱的信徒。可惜俞杏荪的意志太薄弱了，眼光也太短浅。他简直把恋爱认作人生唯一的问题，才白白地牺牲掉！"

窗外的落叶又相和我们俩的叹息，室中又静了。

我说："霍桑，还有那徐玉英呢？伊在法律上有责任，你想怎么样解决？"

霍桑背负着手，踱了几步，吐了一口烟，忽又摇头叹息：

"玉英正当青春，伊对罪过又有过真切的悔悟。现在美侠方面，既然仍有圆满的希望，这一个可怜的女子的行为并没有造成实际的损害，不如就听其自然吧！"

这见解我也赞同。伊虽然下过毒手，但也是由于爱的迷蒙而伊的爱又是盲目而无理性的。这女子的遭遇，论情实在可原可悯，竟使我不忍下笔。隔了一天，玉英仍没有回家。五天以后，报纸上发现一段新闻，苏州黄天荡中浮现出一个时髦的少女。